저자 안영진

드립으로 먹고 살고 싶지만 그러지 못하고 있다.

자신이 세상에서 드립을 제일 찰지게 친다고 믿는다.

인스타그램 계정 [드립 치는 남자]에서 드립 릴스 영상 누적 조회수가 1110만 회를 돌파했다.

드립으로 먹고사는 법

발 행 | 2024년 2월 8일
저 자 | 안영진
편집 | 안영진
펴낸이 | 한건희
펴낸곳 | 주식회사 부크크
출판사등록 | 2014.07.15.(제2014-16호)
주 소 | 서울특별시 금천구 가산디지털1로 119 SK트윈타워 A동 305호
전 화 | 1670-8316
이메일 | info@bookk.co.kr

ISBN | 979-11-410-7117-2

표지 글꼴: IBM Plex Sans KR, 남양주 고딕, 예스 명조, 나눔명조

내지 글꼴: 만화진흥원체, 이롭게 바탕체, 본명조, 본고딕, 나눔명조, 남양주 고딕, KBIZ명조, 스포카 한 산스 네오, 예스24

www.bookk.co.kr

안영진의 드립을 싫어하는 모든 이들에게

목차

PART 2 드립을 치는 당신에게

들어가는 말

내가 드립을 치기 시작한 건 중2 때부터였던 것 같다. 말장난을 하기 시작했다. 그 뒤로 계속 드립의 길을 걸었다. 이 길은 재밌지만 쉽지 않은 길이다. 주변에서 수많은 비판이 쏟아지기 때문이다. 하지만 나는 드립의 길을 포기하지 않을 것이다. 내가 그냥 아무 생각 없이 드립 쳤던 것처럼 보일 수 있지만 그렇지 않았다. 다 큰 그림이 있었다. 내가 쳤던 드립은 책이 되기도 하고, 랩 앨범이 되기도 하고, 영상이 되기도 했다. 드립을 허공에 흘려보낸 것이 아니고 그걸 모아서 결과물로 만들었다. 이 정도면 드립 업계(?)에서 인정받을 만하지 않나.

이 책의 제목을 '드립으로 먹고사는 법'이라고 지었다. 사실 나는 지금 드립으로 생계를 유지할 정도의 수입을 버는 건 아니다. 드립으로 인한 수입은 거의 없다고 봐야 한다. 그런데 책 제목을 이렇게 지은 이유는 어쨌든 드립을 치면서 살아가고 있기 때문이다. 이 책을 통해 내가 드립으로 어떻게 '먹고 살고' 있는지 참고하길 바란다. 여러분도 드립의 길을 걷길 바라며.

PART 1
드립을 듣는 당신에게

경전철

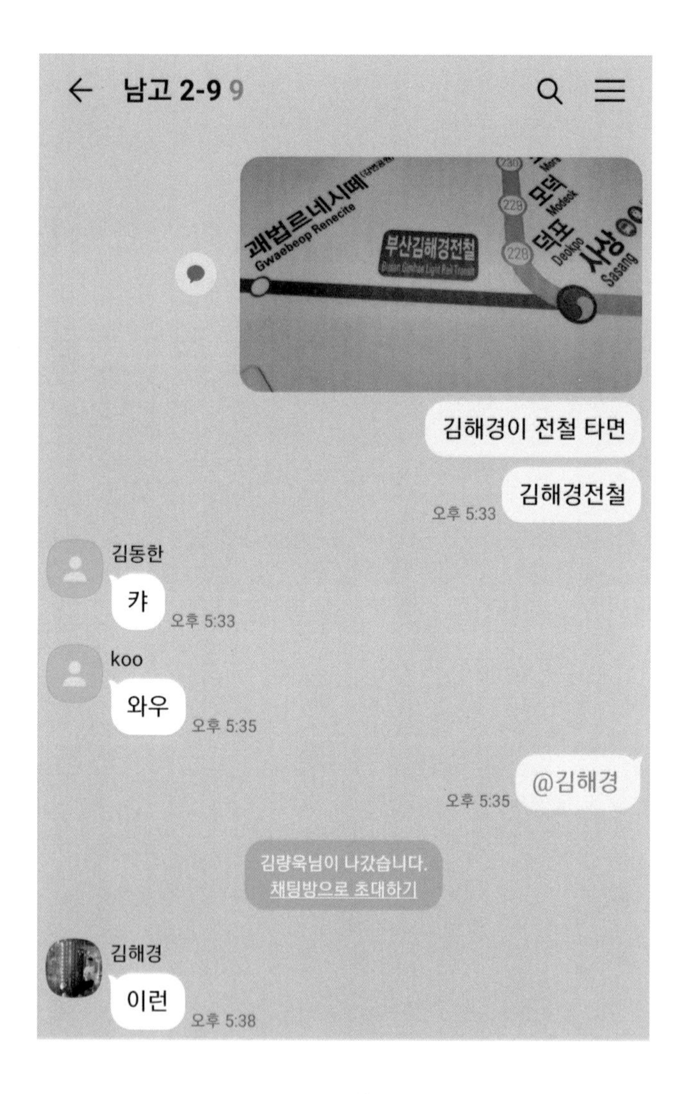

남고 2-9 9
괘법르네시떼
Gwaebeop Renecite
부산김해경전철
모덕
Modeok
덕포
Deokpo
사상
Sasang
김해경이 전철 타면
김해경전철
오후 5:33
김동한
캬
오후 5:33
koo
와우
오후 5:35
@김해경
오후 5:35
김량욱님이 나갔습니다.
채팀방으로 초대하기
김해경
이런
오후 5:38

계속

계속 좋은 드립 만들어달라는, 아는 형의 말이 큰 힘이 된다. 사실 드립을 치면 좋은 소리 들을 때가 잘 없는데 이런 응원의 말은 드립을 계속 치게 되는 원동력이 된다.

그 드립 좀

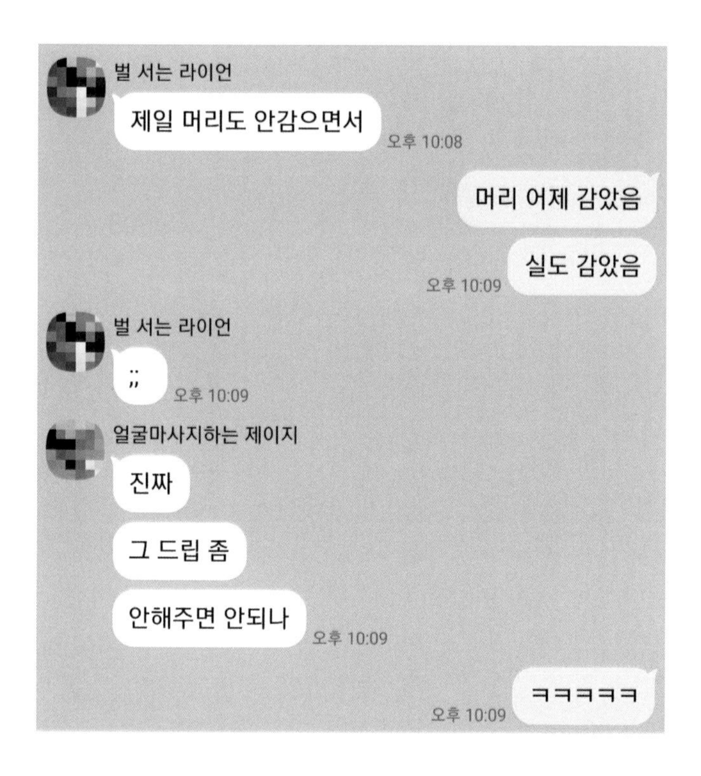

그 드립 좀 안해주면 큰일 난다. 내 밥줄이 끊기기 때문이다.

그립네요

영진순 드립 그립네요.,

아는 동생이 육군 훈련소에 있을 때 인스타그램 DM이 이렇게 왔다. 휴가 나왔을 때 물어보니까 저건 진심이 아니었다고 한다. 이래서 사람은 믿을 게 못 된다.

그물

그물을 쳤는데 물을 어떻게 마셔여
순장님.. 그물 안에 물이 어딨다구.. 다
빠져나가고 없죠 메롱😝

ㅋㅋㅋㅋㅋㅋㅋㅋㅋㅋㅋㅋㅋㅋㅋ

그물이 물에 담겨있으면 가능함

오 그 방법도 있네

그건 생각 못함여ㅋㅎㅋㅎㅎ

ㅋㅋㅋㅋㅋㅋㅋㅋㅋㅋㅋ

드립이 헛소리 같아도 다 논리가 있는
법이지

ㅋㅎㅋㅎㅋㅎㅎ

일정부분 인정할게요

꾸준히

'식당 드립'에 달린 댓글

익명 • 19분 전

아니 진짜 이런 영상을 꾸준히 지금껏 올리고있다는
꾸준함과 말로표현못할 감동이 몰려오면서
영상 갯수보고 박수치고갑니다 비꼬는거아니고
꼭 성공하세요!

1

답글 추가...

드립 치는 남자 • 4분 전(수정됨)

응원과 따뜻한 인사 감사합니다!! 큰 힘이 되네요~

나는 현재 유튜브 채널 [드립 치는 남자]를 운영하고 있다. 일주일에 하나씩 영상을 올리고 있는데 사람들이 한 번씩 그 영상 개수에 놀랄 때가 있다. 질보다는 양으로 승부하는 느낌이긴 한데, 드립이 승리한다기보다는 꾸준함이 승리한다고 해야 하나.

나랑 임원하자

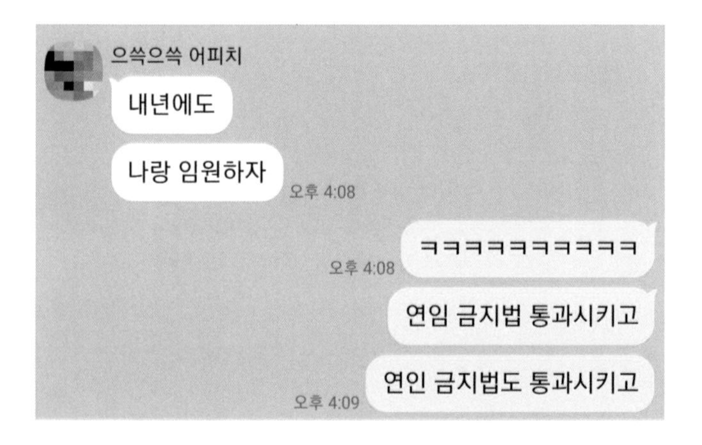

한 번씩 교회 청년부에서 커플들이 생겼다 사라진다. 임원 얘기가 나오길래 내가 연임 금지법이랑 연인 금지법 둘 다 통과시키자고 했다. 왜냐하면 일단 내가 솔로니까. 커플이 다 무슨 의미?

납치

계속 안 오길래

납치됐나 했음

오전 12:26

음악듣는 어피치

납치 당하긴 했음

오전 12:26

형은 납치가 아니고 넙치 아님?

오전 12:26

내년에는

주변 사람들은 내가 드립을 줄이거나 안 치기를 원하지만 그건 헛된 희망이다. 빠르게 그 꿈을 접길 바란다.

너의 드립은

제발

잉진이 ㅠㅠ

내가 뭐 잘못한 거라도?

너의 드립은 너무 시대를 앞서서

내가 감당하기 힘들다 ㅠㅠ

좋은 현상이군

ㄷㄷㄷㄷㄷ

내 드립이 시대를 많이 앞서나가긴 했다. 이 친구 보는 눈이 있네.

누구 탓인가

나는 야구를 별로 좋아하지 않지만 몇 번 보러 간 적이 있다. 내가 야구장 가서도 인스타그램 스토리에 드립 올리고 있으니까 애들이 야구 보러 간 게 아니고 드립 치러 갔냐고 뭐라 했다. 이날 롯데 자이언츠가 졌다. 롯데 팬인 애가 나한테 드립 때문에 롯데가 졌다고 몰아갔다. 항상 만만한 게 드립이고 안영진이다. 씁쓸해진다 ㅋㅋㅋ

드립만 생각하시니

롯데가 못하자나요

그건 제 드립 탓이 아니고

롯데 탓이죠 ㅋㅋ

오늘 9:39 오후

끊임없이 지금 드립 생각하시고
전광판 찍으시니 그렇죠.

공감을 남기려면 길게 누르세요

억울하네

누굴 돌봐

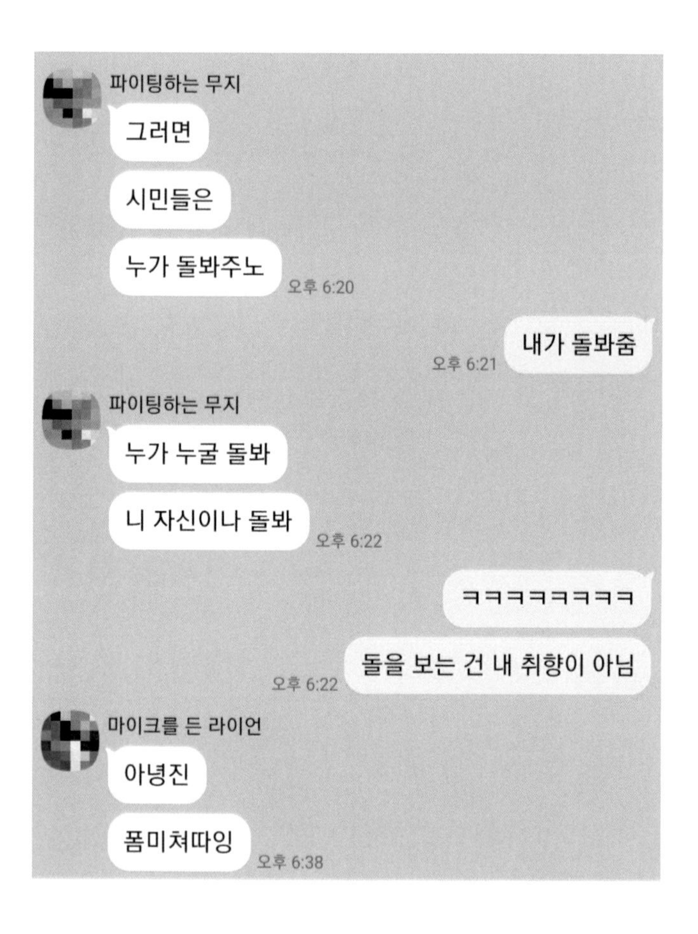

파이팅하는 무지
그러면
시민들은
누가 돌봐주노
오후 6:20
내가 돌봐줌
오후 6:21
파이팅하는 무지
누가 누굴 돌봐
니 자신이나 돌봐
오후 6:22
ㅋㅋㅋㅋㅋㅋㅋㅋ
돌을 보는 건 내 취향이 아님
오후 6:22
마이크를 든 라이언
아녕진
폼미쳐따잉
오후 6:38

니모

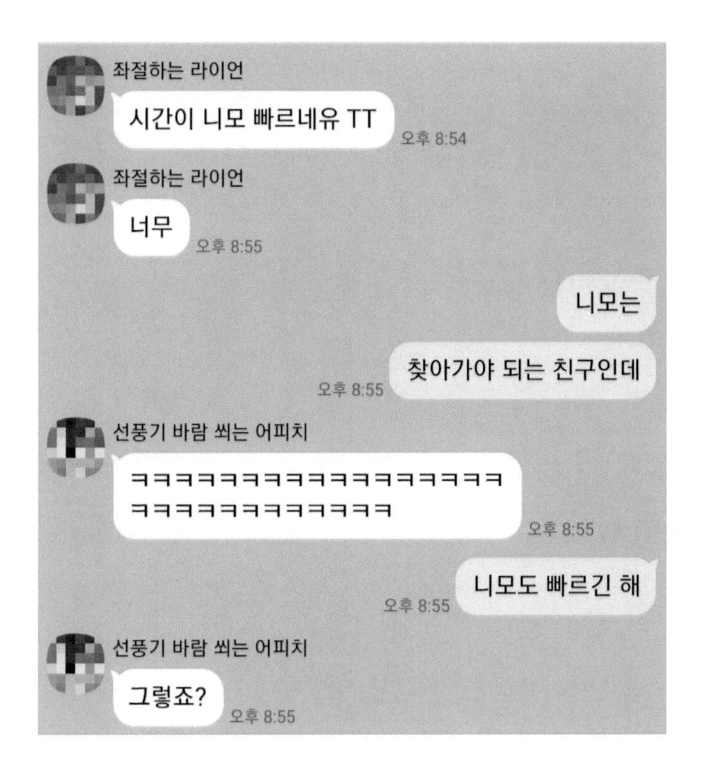

카톡하다가 오타가 나면 드립의 표적이 되기 쉽다. 다들 조심하시길.

닭

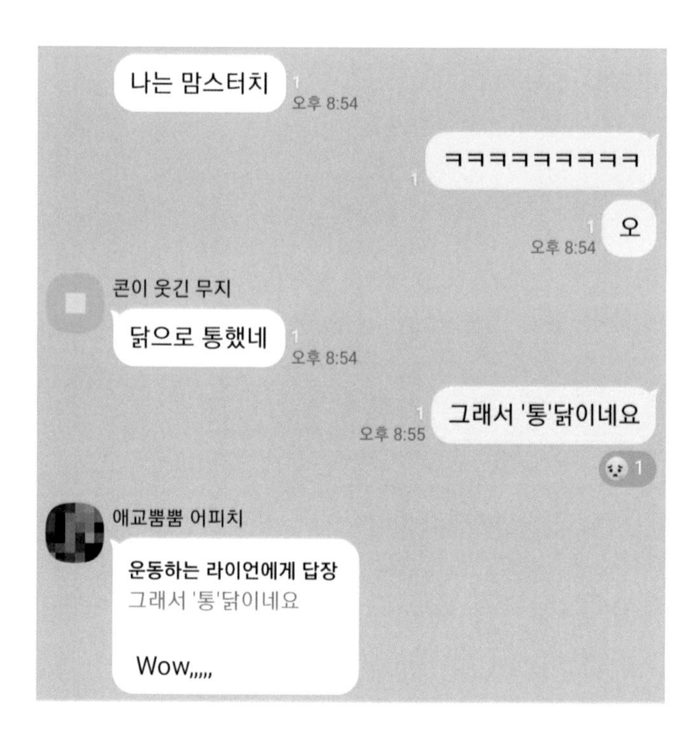

카톡 대화에서는 빠르게 드립 소재를 낚아채는 자세가 중요하다.

닭도리탕

닭도리탕

목도리탕

독도리탕

웄도리탕

드립 치는 사람에게도 사람의 도리가 있어야 한다.

더 높이 올라가라

내가 드립 치는 영상을 고등학교 때 같은 반이었던 애가 인스타그램에서 봤나 보다. 모두가 무시해도 굳건하게 드립을 미는 자세. 정말 중요하다. 그 자세로 여기까지(?) 올 수 있었다.

ㅋㅋㅋㅋㅋㅋㅋㅋㅋㅋㅋㅋㅋㅋㅋ
고딩때부터 모두가 무시해도
굳건하게 드립을 밀고 있었구나

어제 11:01 오후

당근이지 ㅋㅋㅋㅋㅋ

오늘 12:22 오전

아는 지인 스토리에

어디서 많이 본 애가

뭣 같은 드립 치고 있길래 봤더니

너가 있더라고

더 높이 올라가라

창원남고를 빛내보자

고맙다 ㅋㅋ

도레미파

young_jean141 4분
만들기 모드에서
도레미파솔라시도때도 없이 드립침
(물론 내 얘기 아님 ㅋ)
활동
공유하기...
Facebook
더 보기

동해

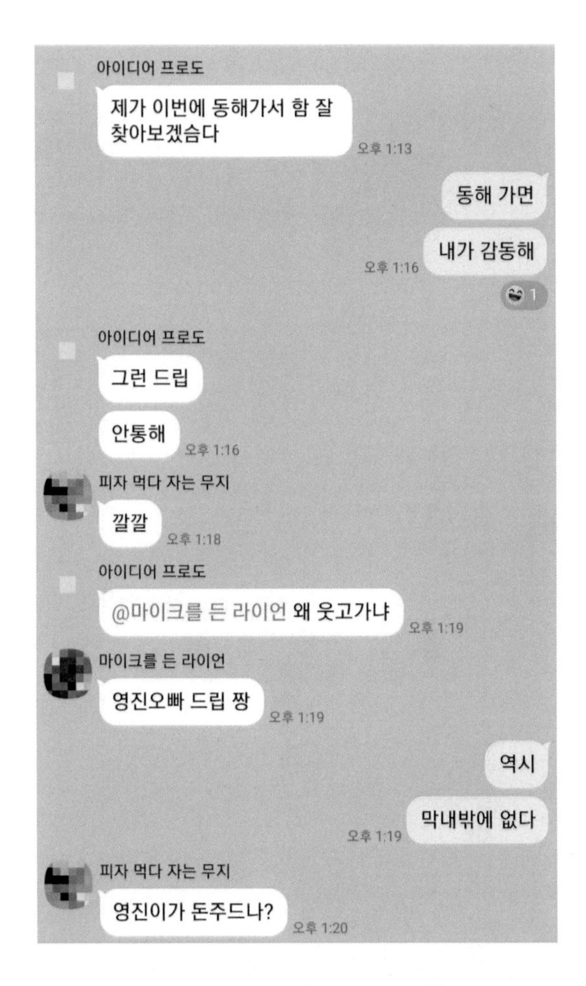

한 명이 내 드립에 웃어주자 다른 사람이 나한테 돈 받았냐는 의혹을 제기했다. 참 억울하다.

드라이브 가자

D 드라이브

드립 연구

회원님의 스토리에 답장을 보냈습니다

드립연구하지말고 연애연구하세요

연애 연구한다고 연애할 수 있는 게
아니던데요?

이번에는 다를 수도 있으니
해보시는걸 추천해요

ㅋㅋㅋㅋㅋㅋㅋㅋㅋㅋㅋㅋㅋㅋ

연구와 실전은 다른 것이다.

드립 장착

한 번 오십쇼

오늘 12:08 오전

오예~ 11월 말에 갑니다~

드립력 장착해두세요~

오 ㅋㅋㅋㅋㅋㅋㅋ 대박

드립 풀로 장전합니다

기대하겠습니다 ....🙂🙂

아니 기대하겠다면서 왜 울고 계시죠?

약간 웃픈

그런느낌

먼저 드립 장착하라고 했으면서 이러기 있습니까?

드립 줄이면

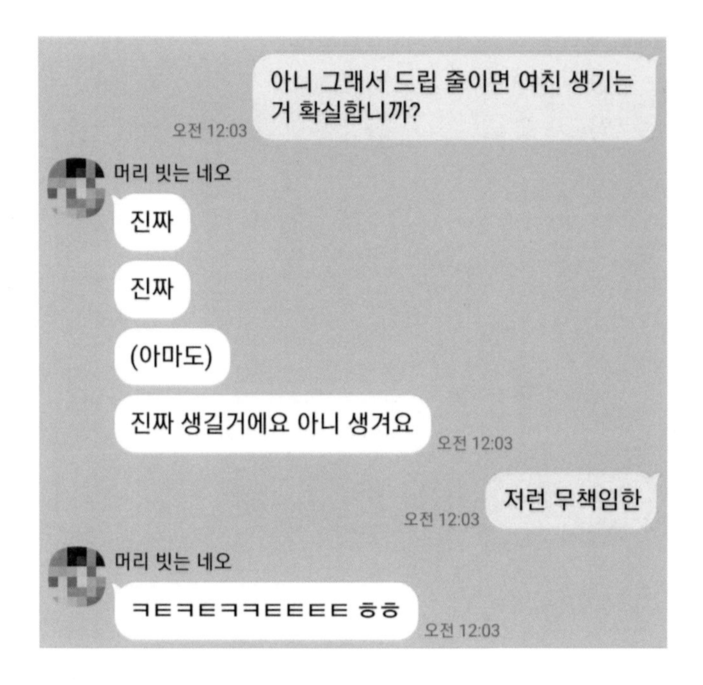

나한테 드립만 줄이면 여친 생긴다고 하는 사람이 몇 명 있다. 물론 무책임한 발언이다.

드립 줄이시고

드립 줄이시고 얼른 여자친구
만드세요

아니 그게 마음대로 되냐고요

오늘 11:48 오전

^^ 가능해요

그니까. 그게 마음대로 되냐고.

드립 치고 싶은데

아 ㅋㅋㅋㅋㅋ 드립은 못 참지

드립보다는

한 명의 인생을 망치지 마세요 선생님

?????????????

인생을 망친다니

순장님의 드립보다는 롯데 야구가
몸에 더 좋아요

드립으로 맘 고생해서 인생 마치는
순원의 모습은 안 보이십니까

ㅋㅋㅋㅋㅋㅋㅋㅋㅋㅋㅋㅋㅋㅋ

할 말이 없네

내 드립보다는 롯데 야구가 더 몸에 좋다는 주장이 나왔다.

내 드립 때문에 롯데가 졌다고 했던, 그 친구랑 동일인이다.

이렇게 불만이 많아서야.

드립으로 차단하기

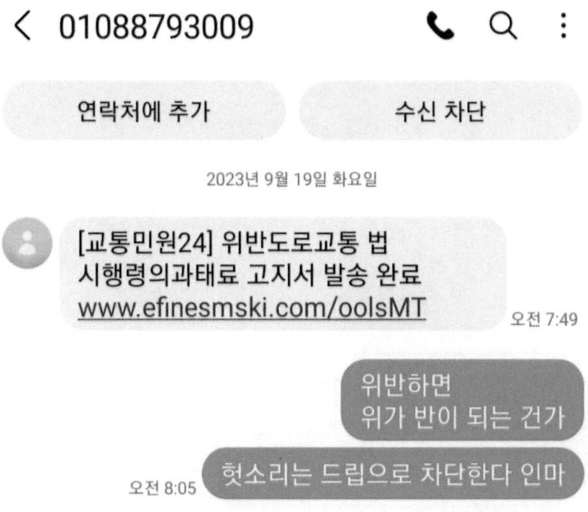

< 01088793009

연락처에 추가 | 수신 차단

2023년 9월 19일 화요일

[교통민원24] 위반도로교통 법
시행령의과태료 고지서 발송 완료
www.efinesmski.com/oolsMT

오전 7:49

위반하면
위가 반이 되는 건가

오전 8:05 헛소리는 드립으로 차단한다 인마

원래 헛소리엔 헛소리로 받아쳐야 한다. 특히 이런 범죄를 각잡는 인간들은 드립으로 혼내줘야 한다. 그래야 정신을 차리지.

드립은 승리합니까

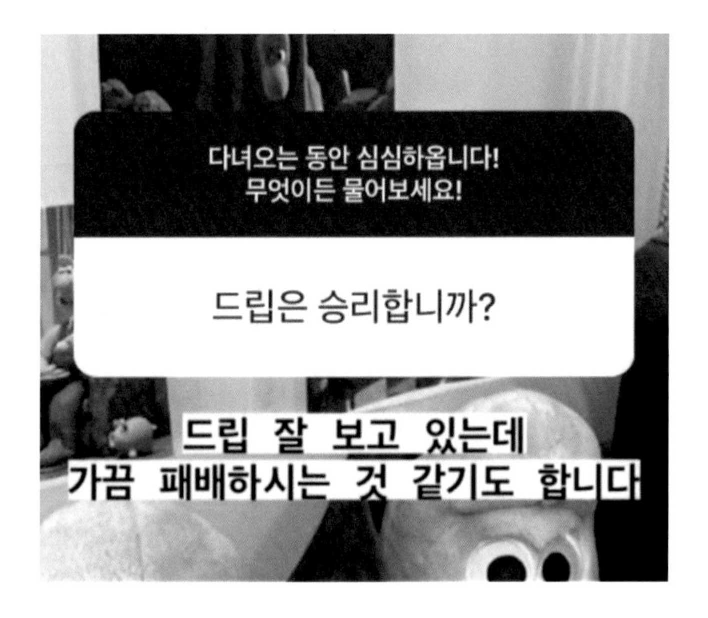

내 드립을 잘 보고 있지만 가끔씩 패배하는 것 같다는 말이 내 가슴을 찌른다. 이런 의견은 겸허하게 받아들여야 한다. "드립은 승리한다."는 2021년부터 내가 계속 믿고 있는 문장이다. 지금까지 드립이 자잘하게 승리한 적은 있었지만 크게 터뜨린 적이 많이 없었다. 언젠가는 드립이 크게 승리할 것을 믿고 있다.

드립은 자신감

드립은 자신감!!!

그걸

연애에다가

접목을 시켜야돼는데

우리는 왜 그러지 못하는가

ㅋㅋㅋㅋㅋㅋㅋㅋ

니도 지금 솔로임?

오늘 9:45 오전

ㅇㅇㅇ

드립은 자신감이다. 드립 치는 사람이 정작 자신의 드립에 자신이 없으면 재미있는 드립도 전달력이 확 떨어진다.

드립을 칠 때

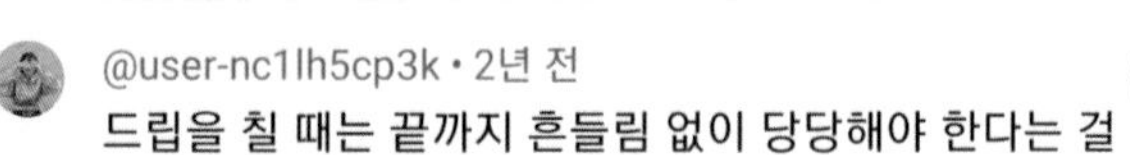

@King_Of_Drip • 2년 전
늘 감사합니다 ㅋㅋㅋ

뜬금없음

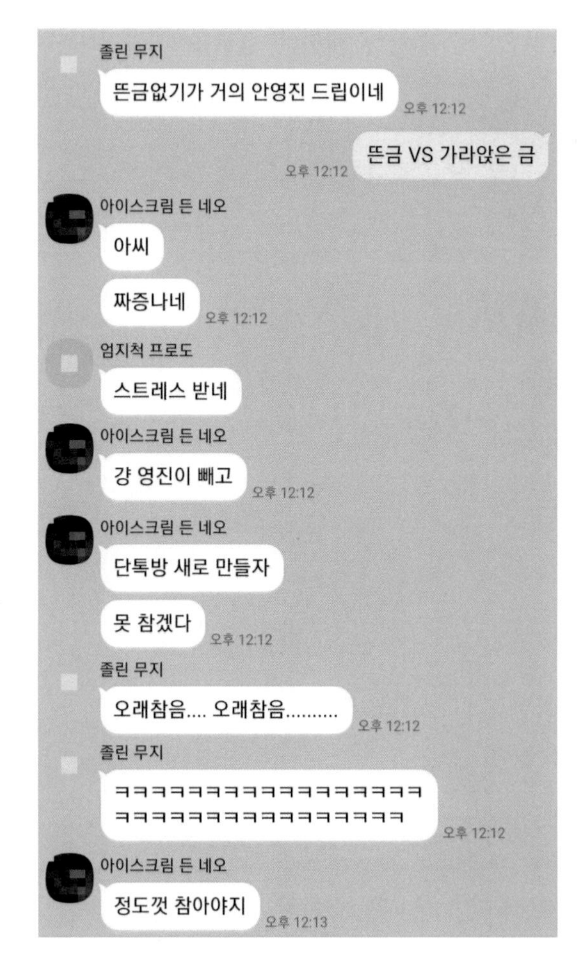

카톡방에서 드립을 날리면 대개 반응이 그렇게 호의적이지 않다. 어쩔 수 없다. 드립 치는 사람들이 감수해야 한다.

랩 녹음

형이 랩을 녹음하면 얼음이 녹고
분위기가 얼음

ㅋㅋㅋ

영진이가 랩을 녹음하면 그녀들의
마음이 녹음

오늘 3:16 오후

ㅋㅋㅋㅋㅋㅋㅋㅋㅋㅋㅋㅋ

희망사항

내가 랩을 녹음하면 과연 그녀들의 마음이 녹을까? 얼음이 녹고 분위기가 얼 듯.

마음이 제일 편할 때

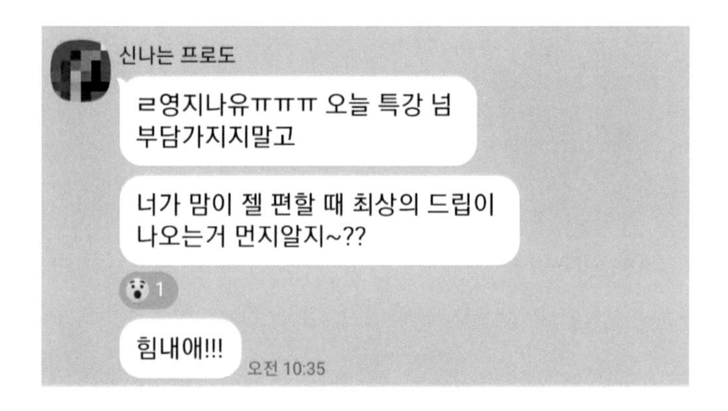

나는 학교에서 드립 특강을 한 적이 있다. 특강 하는 날 오전에 동기가 해준 말이 큰 힘이 되었다. 실제로 마음이 제일 편할 때 드립이 잘 나온다. 불편한 상황에서는 애초에 드립을 못 친다.

매일마다

ㅋㅋㅋㅋㅋㅋㅋㅋ

매일마다

드립 올리는 너의 끈기와 도전

아주 칭찬한다

드립도 끈기가 있어야 친다.

메세지

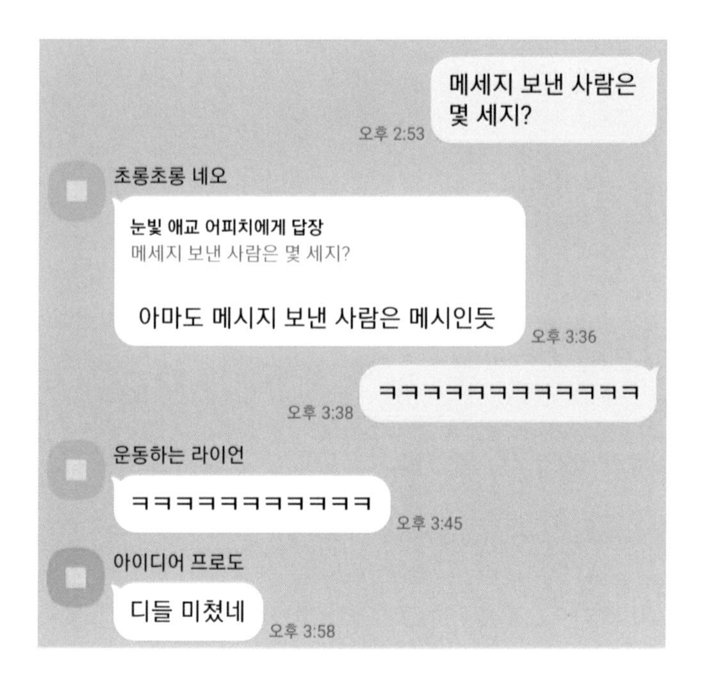
메세지 보낸 사람은 몇 세지?
오후 2:53
초롱초롱 네오
눈빛 애교 어피치에게 답장
메세지 보낸 사람은 몇 세지?
아마도 메시지 보낸 사람은 메시인듯
오후 3:36
ㅋㅋㅋㅋㅋㅋㅋㅋㅋㅋㅋㅋㅋ
오후 3:38
운동하는 라이언
ㅋㅋㅋㅋㅋㅋㅋㅋㅋㅋㅋㅋ
오후 3:45
아이디어 프로도
디들 미쳤네
오후 3:58

멘탈

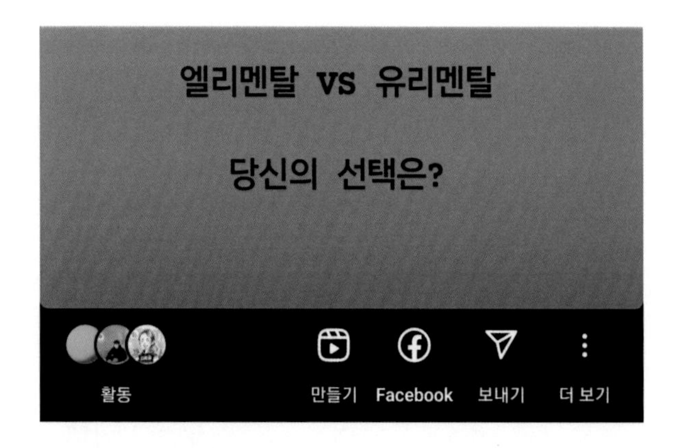

영진순의 드립을 견딜수 있는 멘탈

ㅋㅋㅋㅋㅋㅋㅋㅋㅋㅋ

중요하죠

나의 드립을 견딜 수 있는 멘탈은 필수다. 내 드립을 듣기 힘들어하는 친구들한테 내가 항상 하는 말이 있다. "사회생활하려면 듣고 싶은 말만 들을 수가 없지. 드립도 마찬가지임." 이 말을 내가 하는 것도 참 웃기다.

무리수

스토리에 답장을 보냈습니다

수란에게
무리수란 없다

..

안영진 드립 일주일 금지

압수야

드립은 압수할 수 있는 게 아니다.

무서움

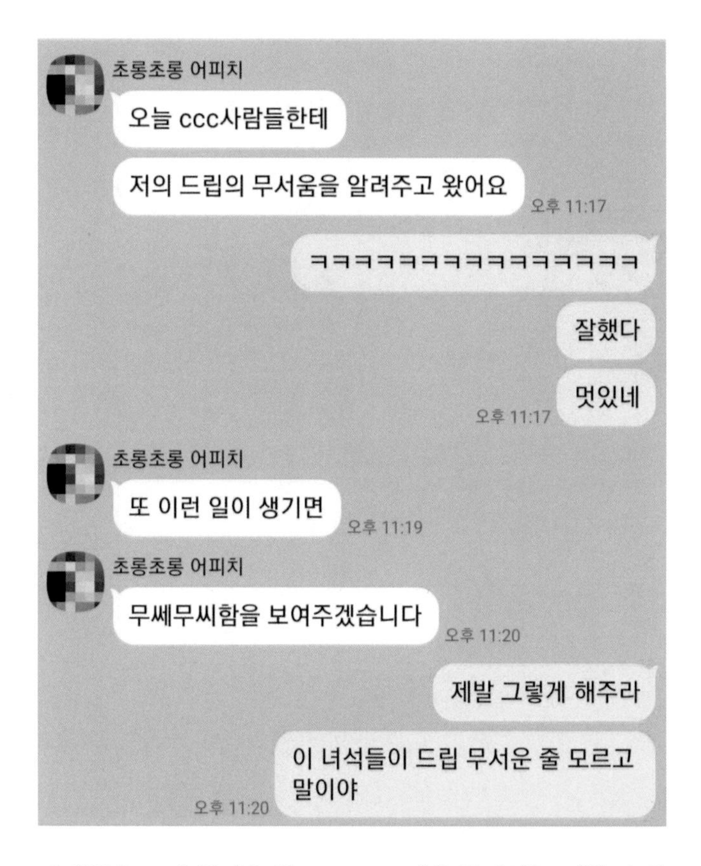

사람들은 드립 무서운 줄 모르고 드립을 무시하는 경향이 있다. 드립의 뜨거운 맛을 한 번 보면 정신을 못 차리지 않을까?

묵상

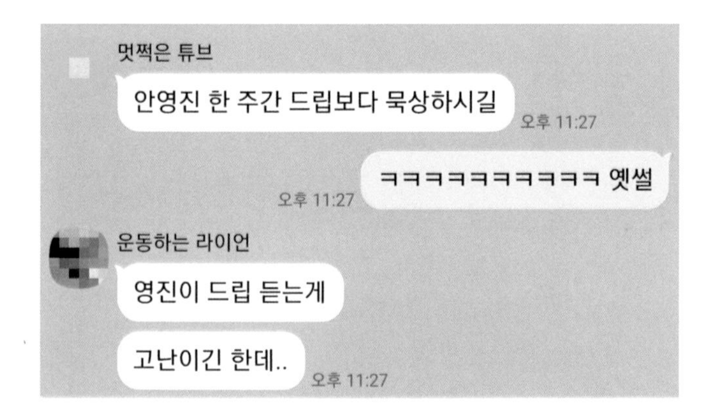

내 드립 듣는 게 고난이긴 하다.

반사판

아 웃었어. 자존심 상해 아!

ㅋㅋㅋㅋㅋㅋㅋ

한 번씩 내 드립 듣고 웃거나 피식한 거에 대해 자존심 상한다고 하는 사람들이 있다. 드립 치는 사람에게는 최고의 찬사다.

방심하면 안 돼

회원님에게 보낸 답장

자원하는 마음으로
천연자원 구함

하,, 진짜 방심하면 안돼,,

방심하지 마십시요

세상은 무서우니

어제 11:29 오후

드립만 조심하면 될거 같아요^^

ㅋㅋㅋㅋㅋㅋㅋㅋㅋㅋ

난 조심 안 하려고

다들 방심하면 안 된다. 언제 어디서 드립이 날라올지 모르기 때문에.

배울 점

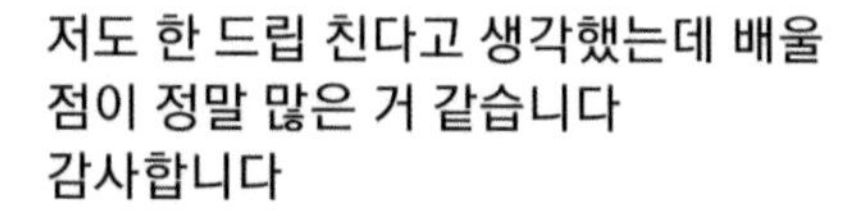

공감을 남기려면 길게 누르세요

감사합니다 ㅋㅋㅋ

저에게 배울 점이 많다고 해줘서 더 감사합니다.

버텨라

만덕고개에 이쁜 야경명소가
있다니?,,,
근데 순장님 드립 땜에 하나도 안
이뻐보여요,,;;;;;;;;;

어허이

야경보단 드립에 집중해주십쇼

야경 좋아하는 사람으로써

순장님의 드립 열받네욤

;;;;;

ㅋㅋㅋㅋㅋㅋㅋㅋㅋㅋㅋㅋㅋㅋ

버텨라

니가 선택(?)한 CCC다

제가 선택한 씨씨씨지만

순장님의 드립을 듣기 위해
선택한거는 아닌데요,,,😣

아 그건 그르네

ㅋㅋ 내일 진주 가셔야하면서 얼른
주무시죠

드립연구 그만하시구요

CCC에 있는 한 친구가 내 드립이 열 받는다고 했다. 그래서 내가 니가 선택한 CCC니까 버티라고 했다. 그런데 내 드립 듣기 위해 선택한 CCC는 아니라고 하자 내가 할 말이 없었다. 그건 그렇지. 동아리 들어왔는데 허구한 날 드립만 치는 이상한 사람이 있을 줄이야. 어쩔 수 없다. 들어온 사람이 다 감수해야 하는 부분이다.

분식

내 카톡 프로필 사진이 분식 드립이었는데 꼭 태클 거는 애들이 있다. 그런 애들한테는 다시 드립으로 받아쳐 주는 게 예의다.

불만

불만?

당연하쬬ㅋㅋㅋ

이런 꿀잼 드립에 불만인 당신에게 난
불만입니다

ㅋㅋㅋㅋㅋ

내 드립에 불만 있는 사람들이 상당히 많다. 나는 재밌는 내 드립에 불만인 사람들에게 불만이다.

불합격

심사할 때는

샤프심 사

와웅

순장님 멋져여

불합격도 드립으로 승화

감사합니다 ㅋㅋㅋ

랩 경연 지원했다가 불합격 문자가 왔다. 그걸로 심사 드립을 쳤는데 한 사람이 불합격도 드립으로 승화시킨 게 멋지다고 해줘서 감동이었다. 나는 어떤 것들을 볼 때, 이걸 어떻게 드립과 연결시킬 수 있을까 항상 생각한다.

비극적

비가 항상 극적으로 오는 건 아니다.

빠삭

어떤 분야에 대해서 빠삭하긴 힘들지만 감자칩은 언제나 빠삭하다. 아님 말고.

빨리 가세요

ㄴㄴ12월까지

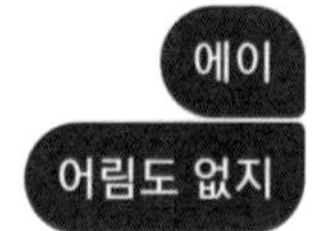

있고없고는

순장님이 결정할수 없어요

그냥가세요

빨리가세요

ㅋㅋㅋㅋㅋㅋㅋㅋㅋㅋㅋ

태세전환 오지네

나 보고 CCC에 더 남아있으라고 했던 애는 내가 드립 치니까 그냥 빨리 가라고 바로 태세전환을 했다. 인생 그렇게 사는 거 아니다.

사라지게

괜찮아요

드립이 사라진다면 저정도야

ㅎㅎㅎ

드립은 안 사라지는데요?

큰 오해를 하고 계시는 듯

아니요 사라지게 해달라고
기도할거에요

ㅋㅋㅋㅋㅋㅋㅋㅋㅋ

내 드립이 사라지게 해달라고 기도하는 사람들이 몇 명 있다. 그게 하나님의 뜻이라면 이뤄질 것이고 아니면 그렇지 않겠지.

생일선물

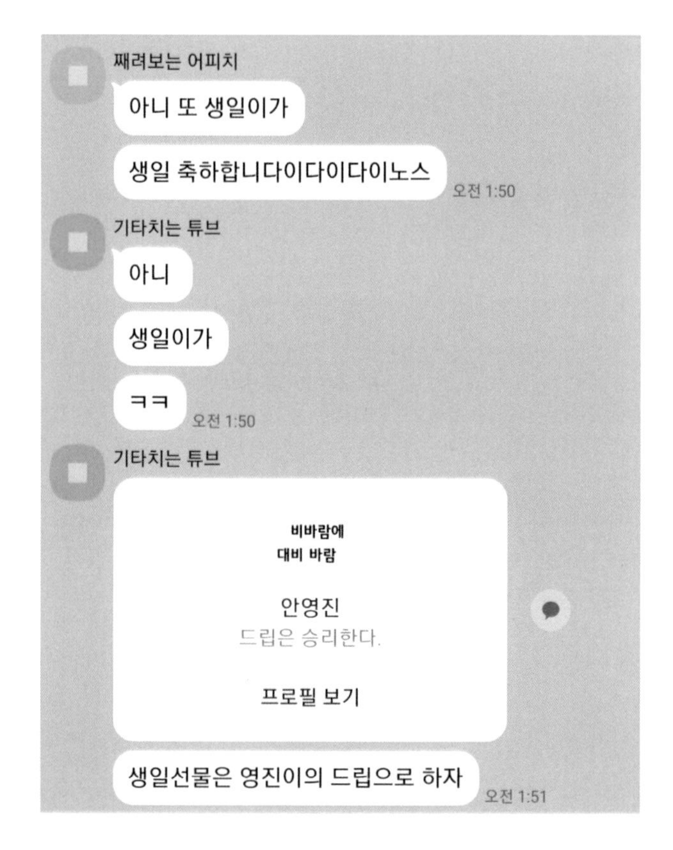

생일선물을 내 드립으로 하자는데 그건 너무 비싼 선물이다.

다른 걸로 하자.

선빵

감사일기는 선빵 치는 사람이 임자임
오후 11:14
2023년 10월 5일 목요일 >
치맥하는 제이지
선빵 맛있나요...?
오전 1:15
선빵 맛있지
오전 1:16
쑥스럽게 인사하는 프로도
냠냠
오전 1:32
치맥하는 제이지
쩝쩝
오전 7:31

선빵 맛있는 거 인정.

셔틀콕

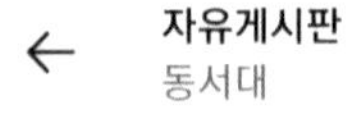

익명

10/19 22:43

혹시 배드민턴 셔틀콕 하나만 주실분있나요?

셔틀콕 하나만 기부해주세요...

0 1 0

공감 스크랩

익명1

셔틀콕 말고
히치콕 어떠신지

10/19 22:58

근데 사실 히치콕보단 셔틀콕이다.

수고했다

키야~ 영진이도 이번학기 수고했다

공부하면서 드립친다고

ㅋㅋㅋㅋㅋㅋㅋㅋㅋ 감사

공부하면서 드립친다고 수고하긴 했다. 내가 드립을 그냥 생각없이 치는 것처럼 보여도 수많은 변수와 상황을 고려하면서 친다. 사람들이 그걸 알아줬으면 좋겠다. 그러면 내가 드립 칠 때 마냥 욕하진 않겠지.

순대

순장님 순대좋아하시나요

넵

순대를 먹다니

니 진짜 고순대?

아 그건좀 변순대..

ㅋㅋㅋㅋㅋㅋ

하지만 드립 치는 사람은 소순대?

졌다

..

크큭

슬퍼요

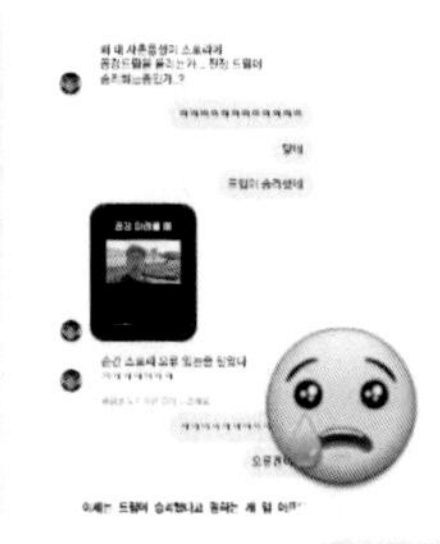

아니 이건 하트 눌러줘야 되는 거 아닙니까?

드립이 승리한다는 말이 슬퍼요

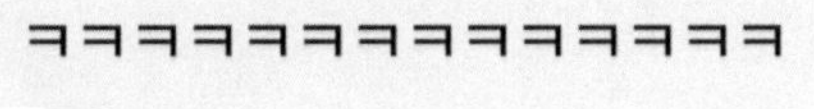

드립이 승리하는 건 사실인데 이게 왜 슬프지? 이해를 할 수 가 없다.

승리하는 중인가

왜 내 사촌동생이 스토리에
공강드립을 올리는가... 진정 드립이
승리하는중인가..?

ㅋㅋㅋㅋㅋㅋㅋㅋㅋㅋㅋㅋ

맞네

드립이 승리했네

내가 인스타그램에 올린 드립 영상들의 조회수가 많이 나오면서 주변 사람들이 이런 얘기를 많이 했다. 왜 내 친구들의 스토리에 니 드립 영상이 올라오냐고. 내 드립이 급부상하니까 평소에 내 드립의 가치에 콧방귀 끼던 사람들이 놀란 것이다. 보고 있나 이것들아? 드립이 승리하고 있는 이 순간들을.

시간이 언제 되시죠?

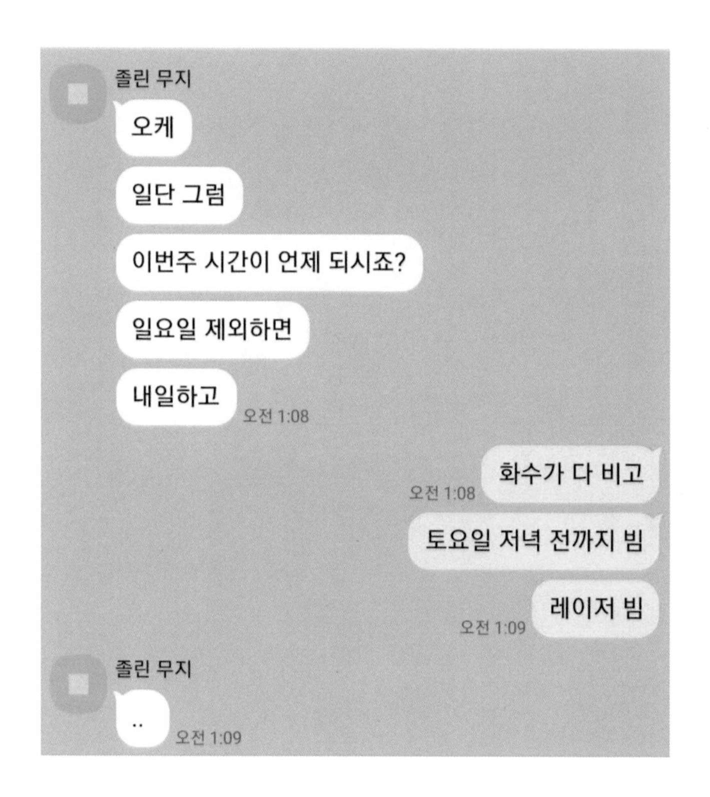
졸린 무지
오케
일단 그럼
이번주 시간이 언제 되시죠?
일요일 제외하면
내일하고
오전 1:08
화수가 다 비고
오전 1:08
토요일 저녁 전까지 빔
레이저 빔
오전 1:09
졸린 무지
..
오전 1:09

신고

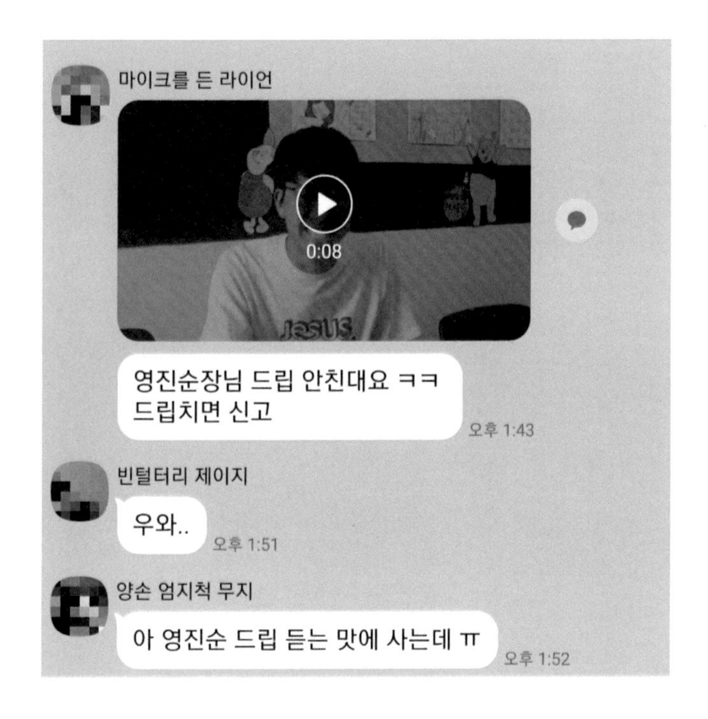

나는 영상에서 드립을 줄여본다고 했는데 간사님은 내가 드립을 이제 안 친다고 말한 것처럼 얘기하셨다. 그러자 23학번 친구가 내 드립 듣는 맛에 산다며 아쉬운 것처럼 말했다. 걱정 마라 친구야. 내가 드립 줄여본다고 했지 아예 안 친다고 한 건 아니니까.

아쉬운 소식

안영진씨 드립계에서 은퇴하시다니
참 아쉬운 소식입니다 하향하

오늘 2:44 오후

은퇴는 무슨

죽을 때까지 드립은 포기하지
않습니다 ㅋㅋㅋㅋ

드립계에서 은퇴는 무슨. 말도 안 되는 소리다. 드립은 내가 죽을 때까지 계속되니까 허황된 꿈은 버리시길.

아직 남았다

순장님 시험 몇개 남으셨나요

두 개 남아서

두개골 아픔

니는?

세 개 남아서

새가 개를 쫓는 중입니다

와우

기대했는데

조금 인정

솔직히 기대 없이 드립 던졌는데 생각보다 잘 받아쳐서 놀랐다.

악마

당신은 악마야..

나는 악마지

주원이를 콰악 마

아니 근데 드립 치는 사람한테 악마라고 할 것까진 없잖아?

악플

와..악플도 달리구 월클되셨네요

ㅋㅋㅋㅋㅋㅋㅋㅋ 그르게

그래두 악플에 너무
상처받지않았으면 좋겠네요.. 전
가끔씩 나오는 재밌는 드립때문에
중독됐어용

유튜브 영상이나 인스타그램 릴스에 악플이 달릴 때가 있다. 나는 그거마저도 드립으로 받아친다. 이런 응원은 참 힘이 된다.

야구 관람 중

야구 관람중에 드립이
생각나시나요??

많이 생각나더라고요

애들이 야구는 안 보고 드립만 친다고
뭐라했어요 ㅋㅋ

와.. 야구중에 드립을 구상하는
열정정도라면.. 캠퍼스 지체들도
이쯤되면 인정을 해줘야겠네요

진짜 언젠가 빛을 발할거예요..

ㅋㅋㅋㅋㅋㅋㅋ 감사합니다

드립이 언젠가 빛을 발할 거라는 말이 감동적이다.

양은 복을 받았지만

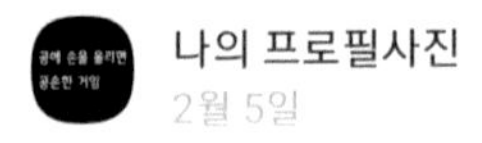

양이 복을 받으면
양복

드립도 복 받았다 이 친구야!!!

없애주세요

하나님 드립승리 외치는 것보다 하나님
사랑을 외치고 살아가는 영진순 되도록
드립 이세상에서 없애주세요

아멘. 제 소원,,,

그 기도 안 들어주셨으면 좋겠다

어제 11:32 오후

놉

이뤄주실거에요

내가 맨날 '드립은 승리한다'라고 하니까 한 친구가 안쓰러웠는지 드립을 이 세상에서 없애달라는 기도문을 썼다. '드립 승리 외치는 것보다 하나님 사랑을 외치고 살아가는 영진순 되도록.' 이 부분이 인상적이다. 내가 기가 막힌 결론을 생각했다. 둘 다 외치는 것이다. 하나님 사랑도 외치고 드립 승리도 외치고. 당연히 하나님 사랑을 외치는 게 1순위고 우선이다. 하나님 사랑보다 드립이 앞서면 안 되니까. 이 친구 덕분에 이 기도문은 내 소망이 되었다. 물론 드립을 이 세상에서 없애달라는 기도 빼고.

에티켓

드립 에티켓을 지켜주시죠! 하루에
하나는 그래도 허용해드림

ㅋㅋㅋㅋㅋㅋㅋㅋㅋㅋㅋ

드립에는 그딴 에티켓 없습니다

대한민국은 민주주의 국가니까요

민주주의니 에티켓을 지켜주셔야죠

다른 사람의 눈과 귀를 위해서라도

드립으로 다같이 즐겁다면 된 거죠 뭐

다같이 즐겁지 않다는 생각은
안해보셨는지??

ㅋㅋ

ㅋㅋㅋㅋㅋㅋ 고건 그래

사실 드립에도 에티켓이 있다. 일단 드립을 치는 것부터가 예절을 지키지 않는 것이긴 하지만 드립계에서도 어느 정도 상도덕이 있다는 말이다. 드립으로 다같이 즐겁지 않다는 생각은 안 해봤냐는 질문이 뼈를 세게 때린다. 하지만 그렇다고 해서 내가 드립을 멈추진 않을 것이다. 안타까운 소식이다.

영진이 진짜

내 삶이 개그라는 말이 칭찬처럼 들렸다. 칭찬 맞았을 것이다. 그래야만 한다.

영진이는

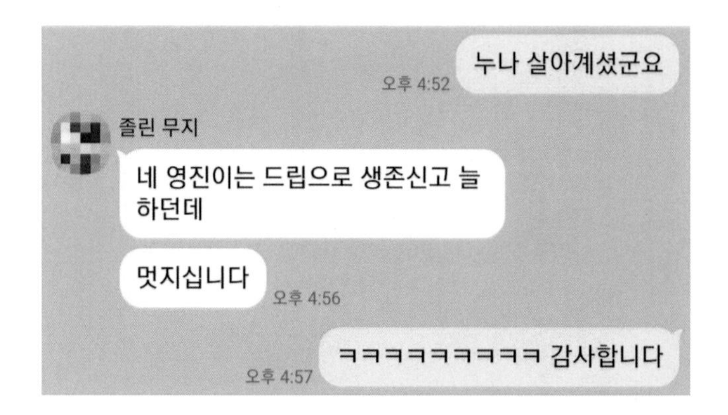

같은 학과 사람이 내가 항상 드립으로 생존 신고하는 게 멋지다고 해줬다. 드립으로 생존 신고하는 게 당연하다. 드립을 칠 때 내가 살아있음을 느끼니까. 그리고 포기하지 않고 계속 드립을 치고 있다는 걸 사람들한테 보여줘야 하니까.

오늘 하루

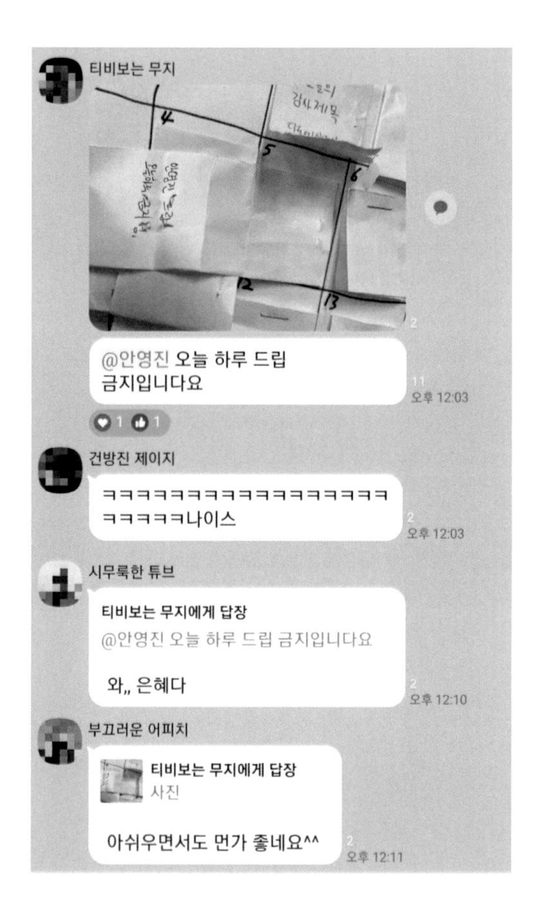

달력 종이에 '안영진 드립 오늘 하루 금지령'이라고 써져 있었다. 한 친구가 그걸 또 찍어서 카톡방에 올렸다. 반응들이 뜨거웠다. 중요한 건 나는 저걸 안 지켰다. 죄송합니다 여러분.

오늘 하루도

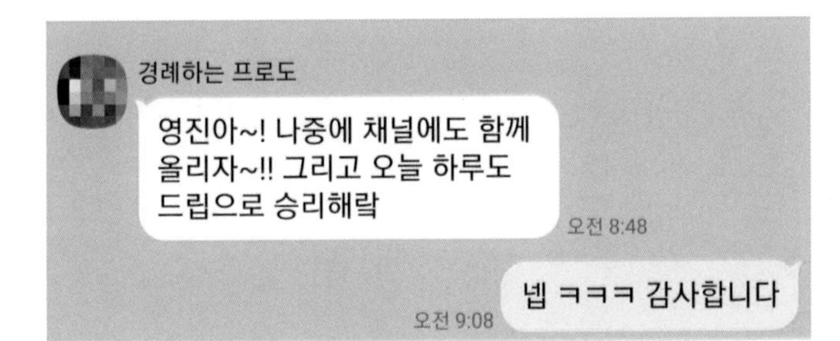

'드립은 승리한다.'는 말은 항상 내가 하는 말인데 이걸 다른 사람한테 들으니까 새로웠다.

오래

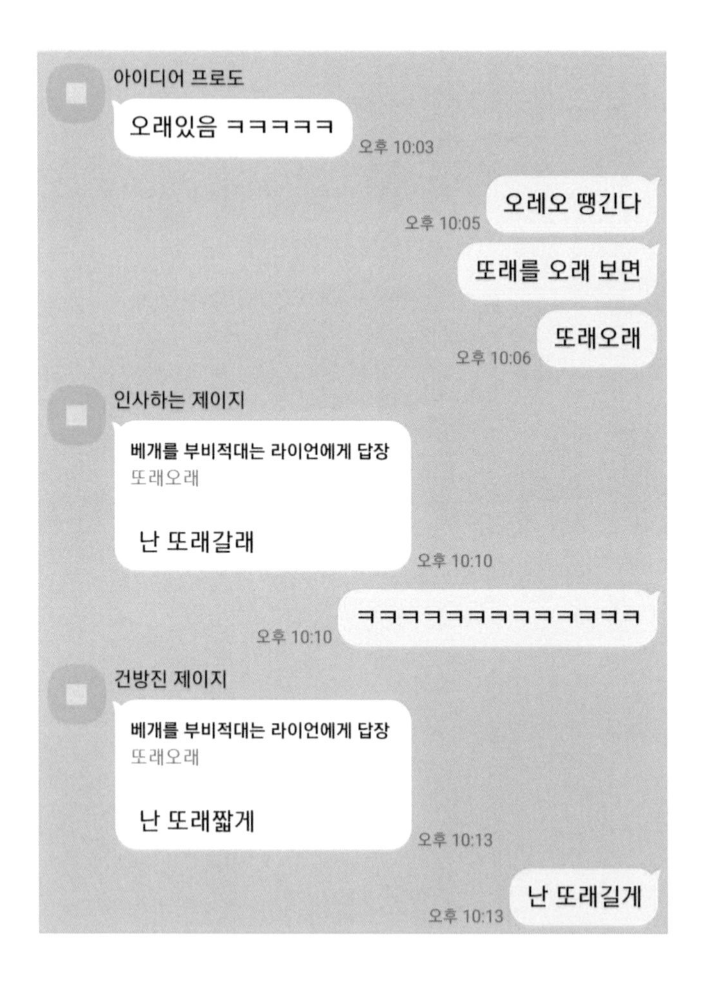

아이디어 프로도
오래있음 ㅋㅋㅋㅋㅋ
오후 10:03
오레오 땡긴다
오후 10:05
또래를 오래 보면
또래오래
오후 10:06
인사하는 제이지
베개를 부비적대는 라이언에게 답장
또래오래
난 또래갈래
오후 10:10
ㅋㅋㅋㅋㅋㅋㅋㅋㅋㅋㅋㅋㅋㅋㅋㅋㅋ
오후 10:10
건방진 제이지
베개를 부비적대는 라이언에게 답장
또래오래
난 또래짧게
오후 10:13
난 또래길게
오후 10:13

오잉

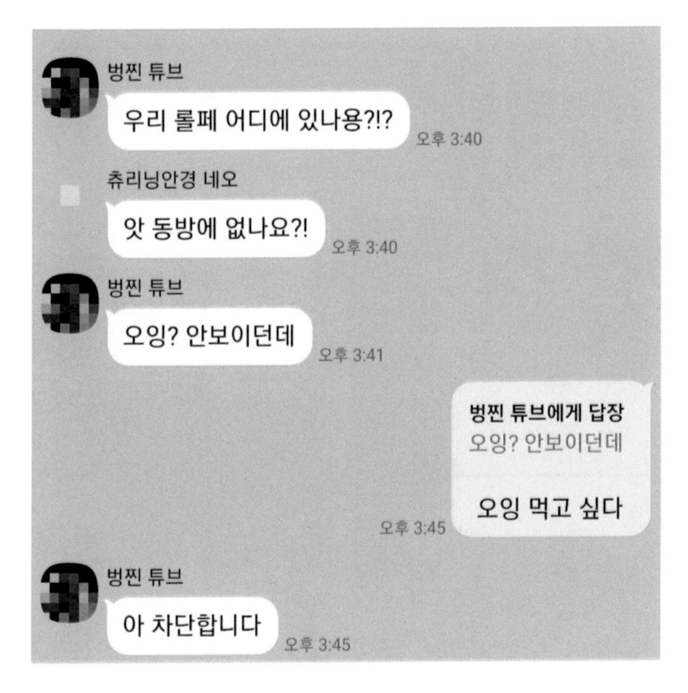

내가 드립 치면 차단한다고 하는 사람이 꽤 있다. 다행히도 실제로 차단당한 적은 없다.

완전 기대돼요

ㅋㅋㅋㅋㅋㅋㅋㅋㅋㅋㅋㅋㅋ

완전 기대돼요~

ㅋㅋㅋㅋㅋㅋㅋㅋㅋ

기대해도 좋습니다

순장님의 드립빼고 ..

아니 아까 기대하신다고....

아

음

네

그런걸로 합시다

왜 두 분만 노시죠?

왜 두 분만 노시죠?

부러우면 부산에 사셔요 ^^ ㅎᵕ

근데 드립 땜에 안 끼워드릴게요

ㅋㅋㅋㅋㅋㅋㅋㅋㅋㅋㅋ

안타깝네

오늘 12:15 오전

그러게요 ㅜ 아쉽네요 ㅠ

드립 아니어도 안 끼워줬을 거면서. 그래 뭐. 항상 만만한 게 드립이지. 나에게는 이런 드립의 위상을 높일 의무가 있다.

외계인

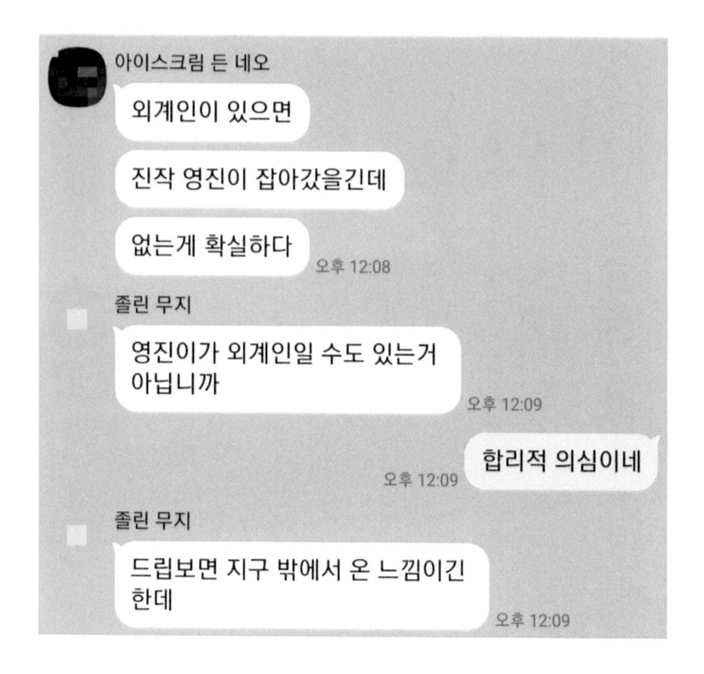

드립은 지구 밖에서 와야 참신하지 않을까? 맨날 지구 안에서의 드립만 치니까 식상하다는 소리를 듣지. 우리는 발상의 전환을 할 필요가 있다.

우주 최강

역시 fun으로 가득한 대한민국
최고의 시인

아니 어제 명함 교환하신 우주최강
드립 전문 래퍼 안영진씨?

감사합니다

ㅋㅋㅋㅋㅋㅋㅋ

예. 저 맞습니다. 우주 최강 드립 전문 래퍼 안영진 씨.

인맥

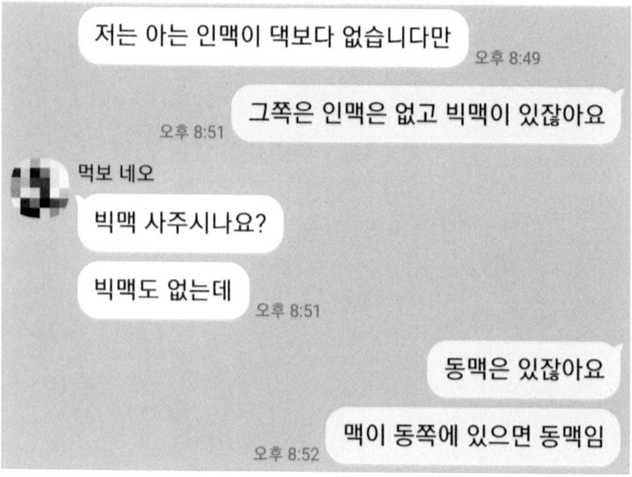

저는 아는 인맥이 댁보다 없습니다만
오후 8:49

그쪽은 인맥은 없고 빅맥이 있잖아요
오후 8:51

먹보 네오

빅맥 사주시나요?

빅맥도 없는데
오후 8:51

동맥은 있잖아요

맥이 동쪽에 있으면 동맥임
오후 8:52

인정하기 싫은데

인정하기 왠지 싫은데

개그 제 스타일이에요

ㅋㅋㅋㅋㅋㅋㅋㅋㅋㅋㅋ

앞으로도 화이팅~!!

공감을 남기려면 길게 누르세요

감사합니다 ㅋㅋㅋㅋㅋ

내 드립이 웃기다는 걸 인정하기 싫어하는 사람들이 있다. 좋은 현상이다. 어쨌든 내 드립이 웃기다는 거니까.

입 닫아

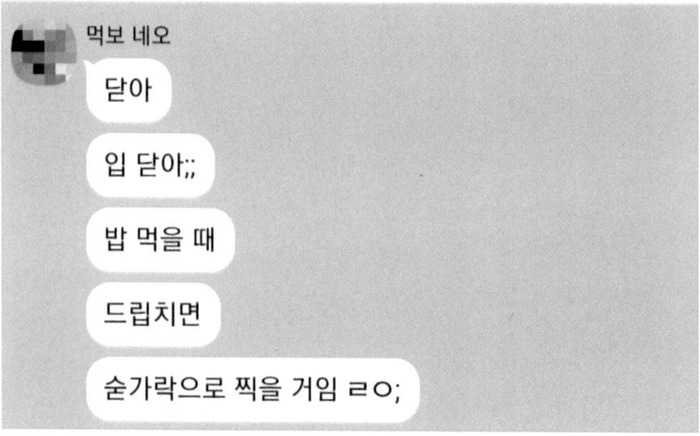

먹보 네오

닫아

입 닫아;;

밥 먹을 때

드립치면

숟가락으로 찍을 거임 ㄹㅇ;

드립을 치다 보면 협박도 당한다. 하지만 나는 거기에 굴하지 않는다.

자제 부탁드려요

내일 큐티모임이나 오세요,,,

ㅋㅋㅋㅋㅋㅋㅋㅋㅋㅋㅋㅋ

내일은 못가

카페를 못 가면 카페모카

아

시험공부하는데

집중력 떨어지게 드립은 자제
부탁드려요

킹 받아요,,,,, 순장님,,,,,

잔치

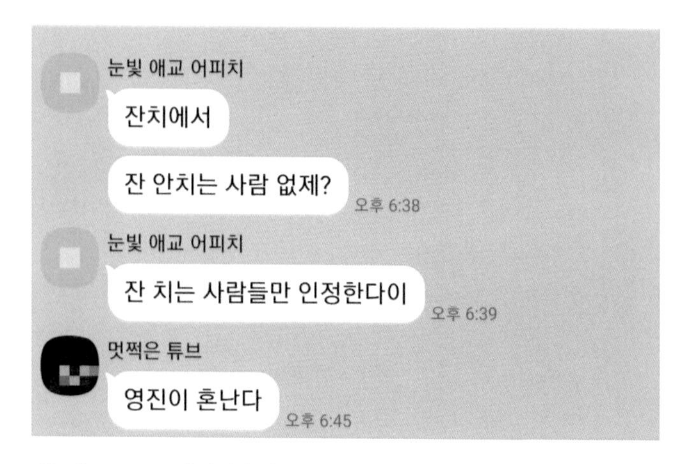

내 카톡 프로필이 '잔치에서 잔 치는 사람'으로 되어 있었는데 그걸 본 사람들의 반응이었다.

장구

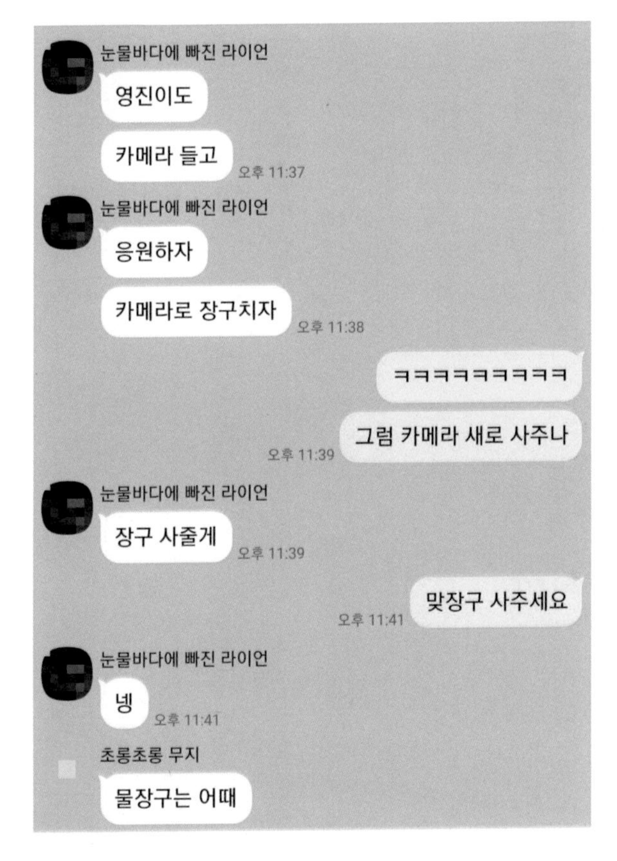

응원할 거면 내 드립도 응원해주라. 응원보단 비판을 많이 받고 있는 상황이라.

저는

드론도 띄우고 분위기도 띄우고. 둘 다 띄우는 걸로 하자.

저분은

CCC 여름수련회 저녁 집회 때 내가 조는 모습을 누가 영상으로 찍어서 카톡방에 올렸다. 간사님이 저분은 드립의 황제시냐고 물으셨다. 드립의 황제 맞습니다.

제 드립은요

아ㅋㅌㅋㅌㅌ 간사님 너무
재미있으시닭ㅌㅌㅌㅌㅌ

제 드립은요?

제 드립도 재밌는데

노잼이에요

안녕히 주무세여

전 이만

아니 이렇게 칼 같으면 나라도 상처를 받지 않겠니?

제발 꾸준히

내 드립이 재밌다며 제발 꾸준히 해달라고, 항상 응원하겠다는 말이 큰 힘이 된다. 여러분 같은 사람들이 있기에 제가 계속 드립을 칩니다. 감사합니다.

죠르디

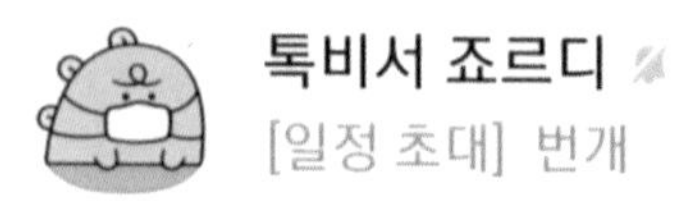

죠르디가 목을

조르디?

나만 이 드립 생각해 봤냐?
솔직히 다 생각해 봤으면서

미안.. 형의 생각은 넘사벽이야

오늘 12:19 오전

ㅋㅋㅋㅋㅋㅋㅋㅋ

나는 드립이 떠오를 때 같이 떠오르는 생각이 있다. '이 드립을 또 생각한 사람이 있을까?' 죠르디 드립이 떠올랐을 때도 그랬다. 한 명이 내 생각이 넘사벽이라며 칭찬(?)을 했다.

주일에

아 진짜 주일에 드립금지

자꾸 소재 주는거 킹 받어서 스토리도
조심히 올려야겠어요

ㅋㅋㅋㅋㅋㅋㅋㅋㅋㅋㅋㅋㅋㅋㅋ

중단할 것인가

ㅋㅋㅋㅋㅋㅋㅋㅋㅋㅋㅋㅋ순장님
만약에 드립이 누군가를 실족하게
한다면 드립을 중단하실건가요?

공감을 남기려면 길게 누르세요

ㅋㅋㅋㅋㅋㅋㅋㅋㅋㅋㅋㅋ

이미 많은 사람을 실족하게 했지만
중단을 못하고 있어요

그렇다. 드립이 이미 많은 사람들을 힘들게 했지만 나는 멈추지 못하고 있다. 또 죄송합니다.

진심

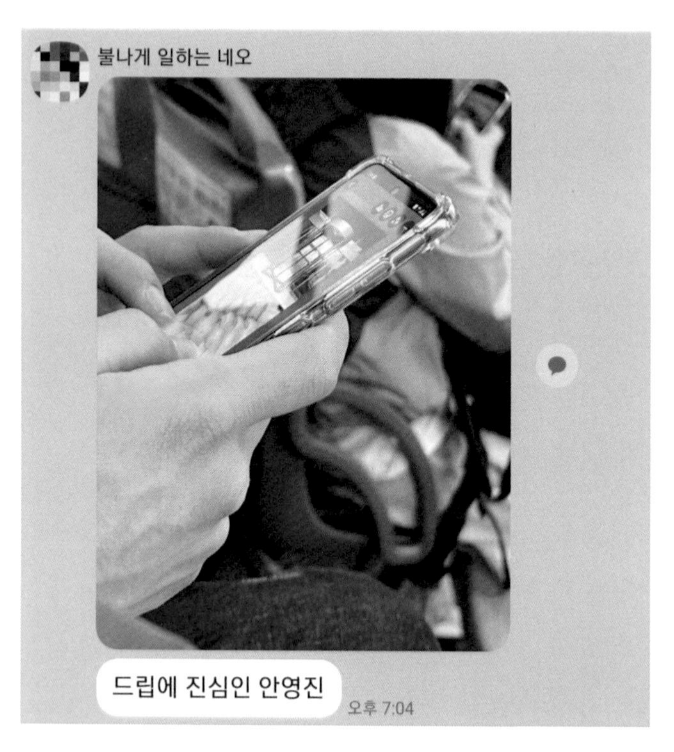

난 항상 드립에 진심이다. 그리고 드립 치는 사람은 항상 드립에 진심이어야 한다.

차단

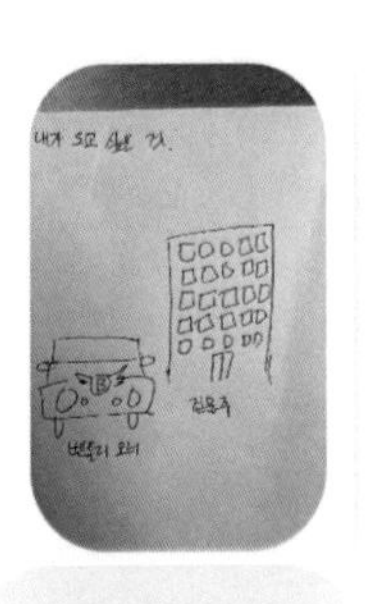

건물주한테
건물 주세요

ㅋㅋㅋㅋㅋㅋㅋㅋㅋㅋㅋㅋ

내가 드립 치니까 바로 차단 각 잡는 게 무섭다. 하지만 난 쫄지 않는다. 이런 협박이 익숙한 사람이니까.

청년

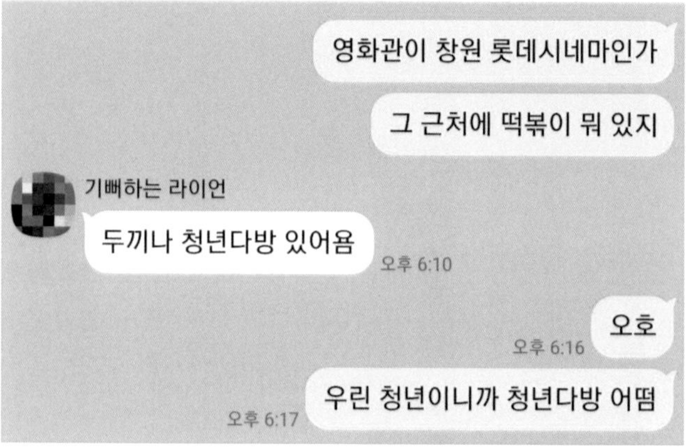

영화관이 창원 롯데시네마인가

그 근처에 떡볶이 뭐 있지

기뻐하는 라이언

두끼나 청년다방 있어욤

오후 6:10

오호

오후 6:16

우린 청년이니까 청년다방 어뗨

오후 6:17

촬영 중에

내가 폰으로 뭔가를 촬영하고 있으면 주변 사람들은 이번에 무슨 드립 칠 거냐고 물어본다. 폰으로 뭘 찍을 때마다 이런 의심을 받는 게 억울하다. 물론 내가 폰으로 카메라를 켜면 99프로의 확률로 드립 소재를 찍는 게 맞긴 하다. 그런데 아닐 때도 있다.

추천

드립 줄이고 성경 많이 읽고,, 추천,,

ㅋㅋㅋㅋㅋㅋㅋㅋㅋㅋㅋㅋㅋ

명심하겠습니다

드립 줄이고 성경을 많이 읽어야 되는 건 맞다. 그건 아는데 잘 안 된다.

성경 읽자!!

충격적 드립

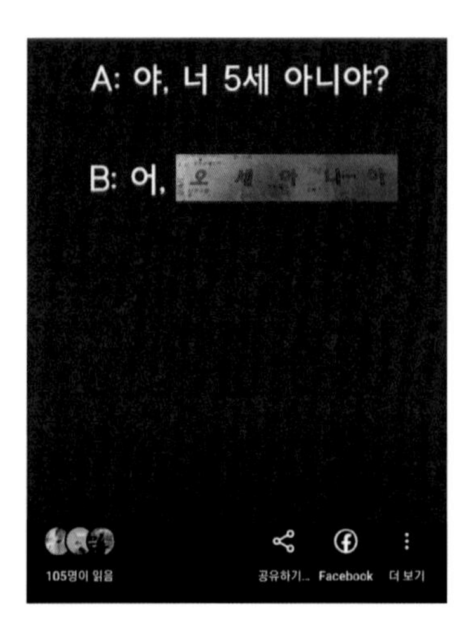

이건 좀 충격적 드립이다😳

생각치 못한 드립⭐

ㅋㅋㅋㅋㅋㅋㅋㅋㅋㅋㅋ

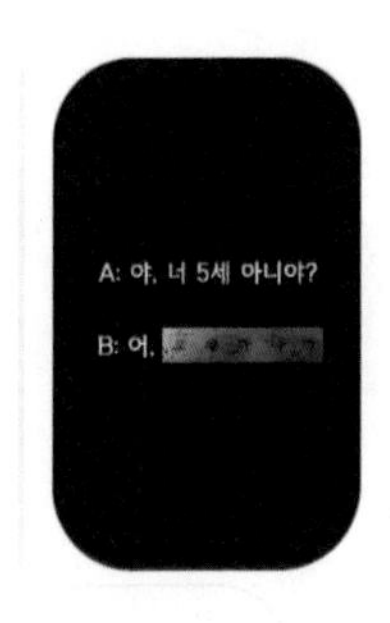

영진이

이거는 내 6살때 식탁 세계지도보고
상상한 드립인데

오늘 8:02 오후

크으

내가 오세아니아 드립을 올리자 한 친구가 이렇게 말했다. 이건 자기가 6살 때 생각한 드립이라고. 하지만 그렇게 주장해봤자 의미없다. 이 친구와 나의 결정적인 차이는 행동 여부에 있다. 이 친구는 그런 드립을 생각만 했고 나는 이 드립을 실제로 쳤다. 우리는 생각만 하지 말고 행동할 필요가 있다.

치앙마이

니는 어디 감?

치앙마이;;

치앙마이는
치안 마이 좋다

진짜 화나네 또

큐티시간

아침에 CCC 동아리방에 모여서 큐티 나눔을 할 때가 있었다. 내가 노트북에 나눔 내용을 치는 척 하면서 드립을 치다가 많이 들켰다. 그걸 한 친구가 또 사진을 찍어서 카톡방에 고발했다. 왜 이렇게 나를 못 잡아먹어서 안달일까?

통성기도

오늘 안영진 드립 멈춰달라고
통성기도해야겠다

공감을 남기려면 길게 누르세요

아멘

주여

어린양의 기도를 들으사

ㅋㅋㅋㅋㅋㅋㅋㅋㅋㅋㅋ

근데 니 안 어리잖아

?

23살임

허허. 이 친구는 내 드립을 멈춰달라고 통성 기도까지 해주시는구나. 고마워서 눈물이 난다 친구야.

티비

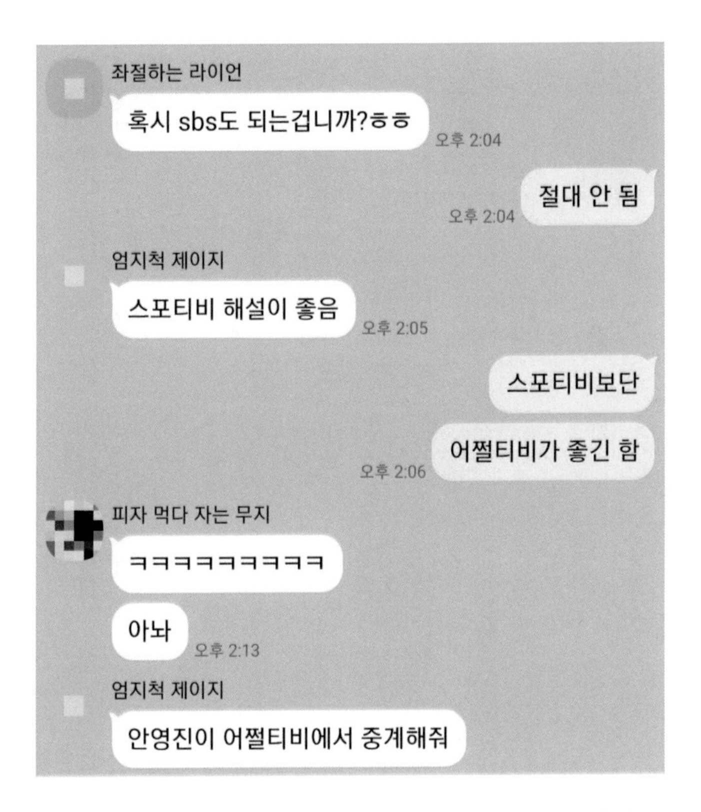

이때가 올림픽 축구 한일 결승전을 같이 볼라고 할 때인데 중계 방송을 두고 얘기했었다.

픽

'전공 살리는 방법'에 달린 댓글

익명인 • 15분 전

픽 터진 내가 기분 나쁘네

답글 추가...

드립 치는 남자 • 1초 전

ㅋㅋㅋㅋㅋㅋㅋㅋㅋㅋㅋㅋㅋㅋㅋㄱㅋㅋㅋ

하수

영진이

남자답게

하수라고 인정해라

저는 하수입니다

지하수

항상 결론은

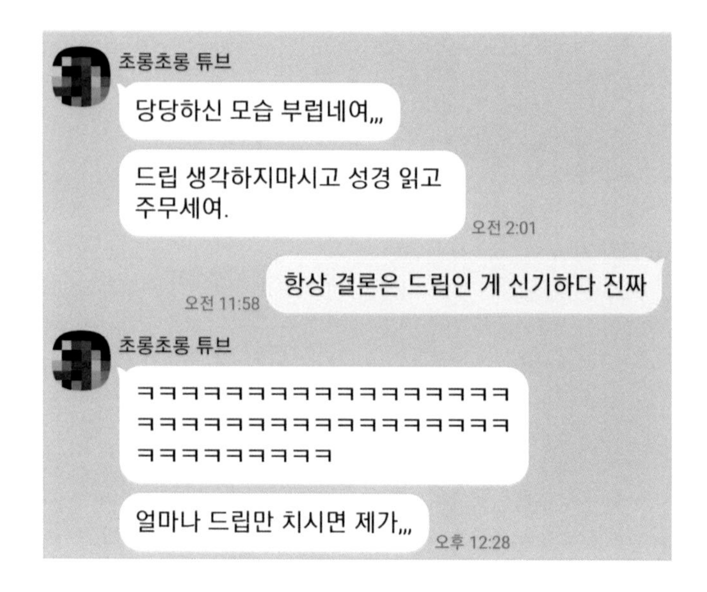

항상 결론을 드립 언급하면서 끝내는 친구가 있었다. 참 신기하다.

형 드립

익명의 사람

형 드립 제 취향이에요 진짜ㅋㅋ

5일 회신

드립 치는 남자 · 작성자

감사합니다 ㅋㅋ

2초 회신

혹시 드립 치시려고

드립치려고 떠나시는 건가용 ??

ㅋㅋㅋㅋㅋㅋㅋㅋㅋㅋㅋㅋ

그러게요

여행을 떠나자!!

PART 2
드립을 치는 당신에게

목구멍

목구멍까지 올라온 드립을 삼킨 것만 수십 번이었다. 군대에서 막내일 때라든지 좋아하는 여자애 앞이었다든지. 하지만 용기를 가져야 한다. 어쨌든 드립의 본질은 일단 던져보는 것에 있기 때문이다. 내 안에서 나오려 하는 드립을 자꾸 참으면 어차피 언젠가는 터지게 되어 있다.

드립은 선빵

드립도 선빵 치는 놈이 이긴다. 선빵 치기 위해서는 드립을 말로만 쳐서 공중에 날려버리는 게 아니라 글이나 영상으로 남겨야 한다. 그래야 자기가 먼저 친 드립임을 증명할 수 있으니까.

눈알

내가 군대에서 한창 드립 칠 때 한 명이 나한테 이렇게 말했다. "수병님 드립 치기 전에 계속 눈알 돌아가는 거 아십니까?" 들켰지만 어쩔 수 없다. 드립을 치기 전에는 상황 파악이 필요하기 때문이다. 지금이 드립을 칠 만한 상황인지, 주변에 받아 줄 사람이 있는지 봐야 한다. 그런 사전 조사 없이 막 드립을 쳤다가는 큰일 난다.

번역

드립은 번역이 불가능하다. 드립은 그 나라 언어에 기반할 수 밖에 없기 때문에 번역하는 순간, 드립은 증발한다. 언어유희는 그 나라 고유의 특징이다.

연쇄반응

드립은 또 다른 드립을 낳는다. 연쇄반응이다. 그래서 드립을 잘 치기 위해서는 꼬리 물기를 잘해야 한다.

지위

특정한 지위에 올라가야만 칠 수 있는 드립이 있다. 굳이 그 지위에 올라가지 않아도 칠 수 있는 드립이긴 하다. 하지만 드립의 효과가 달라진다. 예를 들어, 내가 결혼을 해서 장인어른이 계시면, "장인어른은 장인 정신을 가지고 계신다."라는 드립을 칠 수 있다. 나는 장인 어른, 장모님의 사위이기 때문에 이렇게 할 수 있다. "저는 사위입니다. 주사위." 또 내가 방송국에서 국장의 자리에 올라갔다면, 나는 이렇게 자기소개를 할 수 있다. "안녕하세요? 국장입니다. 청국장."

드립의 수단

드립도 그 성격에 따라 전달 방식이 달라진다. 영상으로 쳐야 되는 드립이 있고, 사진이나 글로 쳐야 되는 드립이 있다. 드립 칠 수단을 잘못 고르면 전달 효과가 확 떨어진다.

드립 플랫폼

드립을 체계적으로 칠 수 있는 플랫폼이 있는 건 진짜 좋은 거다. 내가 계속 유튜브와 인스타그램에 드립을 올리는 이유가 거기에 있다. 남들은 받아주지 않는 드립을 한 곳에 지속적으로 올릴 수 있다는 게 행복이다. 이걸 통해 보여주는 거다. 나는 계속 드립을 치고 있고 아직 포기하지 않았다고. 앞으로도 포기하지 않을 거라고. 그 드립들이 모여있는 걸 본 사람들은 나한테 꾸준히 드립 올리는 게 대단하다는 말을 한 번씩 한다.

드립을 잘 치는 네 가지 방법

드립을 치는 방법에는 네 가지가 있다.

쪼개기, 붙이기, 복사하기, 연결하기다.

1. 쪼개기

붙어 있는 단어를 쪼개는 방법이다.

예시)

부리또에 불이 또 붙었네.

-> '부리또'라는 단어를 '부리'와 '또'로 쪼갰다.

나를 살피는 일은 나에게 살과 피가 된다.

-> '살피는'을 '살'과 '피'로 쪼갰다.

2. 붙이기

떨어져 있는 단어를 붙이는 방법이다.

예시)

글에게 귀가 있다면 글귀가 될 것이다.

-> '글'과 '귀'를 붙여서 '글귀'를 만들었다.

산에서 책을 읽는 게 산책이지

-> '산'과 '책'을 붙여서 '산책'을 만들었다.

3. 복사하기

단어를 그대로 복사하는 방식이다. 동음이의어를 이용해서 드립을 만든다.

예시)

방역 지침에 이미 지침

-> '지침'을 복사해서 언어유희를 만들었다.

우리 부서가 부서지면 안 돼

-> '부서'를 복사해서 언어유희를 만들었다.

4. 연결하기

뜻이 유사하거나 이어지는 단어끼리 연결하는 방법이다.

예시)

니가 열 받으면 난 열하나를 받도록 하지

-> '열' 다음 '열하나'가 이어지는 걸 이용한 드립이다.

여름엔 여드름 겨울엔 고드름

-> '여드름'과 '고드름'을 이용한 드립이다.

쪼개기, 붙이기, 복사하기, 연결하기. 이 네 가지를 기억하면 웃음이 터지는 드립을 만드는 게 가능하다. 이걸 보면 드립 치는 건 숨은 그림 찾기랑 비슷한 것 같다. 문장이나 단어 안에 어떤 드립이 숨어있는지 찾아야 하기 때문이다.

이 책의 지은이

동기인 지은이한테 선물로 〈군대에서 세계일주〉 줄 때 책에 이렇게 적어서 줬다.

"이 책의 지은이가 지은이에게"

드립이 떠오를 때

드립이 떠올랐을 때 '이거다!' 하면서 느낌이 오는 게 있다. 이건 내가 봐도 괜찮은 드립이다.

두 종류의 사람

화장실에서 한 친구가 나를 보자마자 "어? 드립 치는 남자다." 하길래 내가 받아쳤다. "어? 드립 안 치는 남자다."
이렇듯 사람들은 두 종류로 나뉜다. 드립을 치는 사람과 안 치는 사람이다. 머릿속에 있는 드립을 마음에만 담아둔 사람은 드립을 밖으로 꺼내는 사람에게 드립 소유권을 주장할 수 없다.

특산물

교회 형이 우리 동네의 특산물은 안영진 드립이냐고 물었다.

당근이지.

군대 후임

군대 후임이었던 애한테 전화가 왔다. 장전역 지나가다가 내가 장전역 앞에서 전역 사진 찍은 게 생각나서, 그게 빡쳐서 전화했다고 한다. 인신공격이나 비방이 아니고 단순히 웃기다는 이유로 발끈한다면 남을 발끈하게 한 드립은 성공한 드립이다.

사람 이름

사람들의 이름 중 드립 치기 좋은 이름들이 있다. 그 사람의 이름은 예전부터 드립의 표적이 되었을 것 같은 감이 온다. 그래서 그 이름으로 드립을 치고 싶은데 그렇게 못한다. 처음 만난 사람한테 드립을 치는 건 관계 형성에 있어서 최악이다. 드립은 목구멍까지 올라오지만 다시 집어넣는다.

포기

내가 좋아하는 애에 대해서 교회 누나랑 얘기한 적이 있다. 누나가 걔랑 친해지고 나서 그 친구가 싫어하는 것만 안 하면 된다고 했다. 내가 물었다.

“누나, 근데 걔가 드립 치는 걸 싫어하면 어쩌죠?”

누나가 말했다. “그럼 드립 치는 거 포기해야지.”

나는 심각해졌다. “드립 포기하는 건 쉽지 않을 것 같은데.”

누나가 한 마디 날렸다. “그럼 걔를 포기해야지 ㅋㅋ 드립은 니 인생인데 어떻게 포기할 수 있겠어?”

선교

교회 오후 예배에서 선교학교를 했다. 목사님이 나한테 말했다. "영진아, 니도 선교 나가라. 드립 선교." 내가 대답했다. "드립은 언어의 장벽이 높기 때문에 한국에서만 통합니다." 그러자 목사님은 영어로도 드립을 개발해보라고 했다. 외국어로도 드립 치는 게 내 목표 중 하나긴 하다. 그런데 외국어로 드립 치려면 언어뿐만 아니라 그 나라의 문화와 상황까지 알아야 하기 때문에 그렇게 쉬운 일이 아니다.

조명

조명 워크샵을 한 적이 있다. 어떤 조명을 보고 한 친구가 저거 무슨 라이트냐고 물어서 내가 그린라이트라고 했다. 그냥 드립이 튀어나와버렸다. 그러자 그 친구가 말하길 내가 선배라서 참는다고 했다. 선배만 아니었으면 때렸을 거라고.

그 드립들은

한 친구가 나한테 물었다. 그 드립들은 다 어디서 나오는 거냐고. 미리 준비하는 거냐고. 나에게 한 번씩 이런 비슷한 질문을 하는 사람들이 있다. 항상 어떤 드립을 칠지 계속 생각하다 보면 떠오른다. 그렇게 살아오다 보니까 뇌 회로가 아마 그렇게 되어버린 것 같다.

말도 안 되는 소리

교회 형 차 타고 집 가는 길에 교회 형이 이상한 소리 하길래 내가 "또 말도 안 되는 소리 하고 있네."라고 했다. 그러자 형이 니 드립이 더 말이 안 된다고 했다. 그래서 내가 드립은 원래 말 안 되는 거라고, 말이 되면 드립이 아니라고 했다. 지금 생각해보니까 드립은 어느 정도 논리가 있어야 먹힌다. 드립이 말이 되야 한다는 소리다.

쌈무

사람들과 같이 저녁을 먹는데 한 친구가 쌈무를 가져오면서 이거 먹는 사람 있냐고 물어봤다. 나는 안 먹는다고 했다. 그러자 간사님이 나한테 말했다. "얘는 쌈무는 안 먹는데 비싼 무는 먹지." 오. 간사님 좀 치시네요.

요새 재밌더라?

청년부 목사님이 나한테 말하셨다. “야, 요새 니 드립 재밌더라?” 내가 대답했다. “목사님, 원래 재밌었는데요?” 목사님이 또 말했다. “뭔 소리고. 내가 구독 취소하고 싶은 유혹이 몇 번이나 왔는데.” 옆에서 교회 형이 말했다. “저는 이미 구독 취소했습니다.” 어쩐지 구독자가 3명 줄었더라. 이런 의리없는.

새해에도

교회 권사님께서 나한테 새해에도 드립 파이팅이라고 해주셨다. 힘이 난다.

형 근데 왜

점심 먹는데 교회 초등부 애가 와서 물었다. "형, 근데 왜 유튜브에 이상한 것만 올려요?" 내가 대답했다. "원래 거기엔 이상한 것만 올리는데?" 이 친구가 내 영상에 나오는 거 따라하니까 엄마가 그런 거 따라하지 말라고 했다고 한다. 근데 내가 유해한 거 올린 적은 없는데.

드립은 메모에서 나온다

나는 드립이 생각날 때마다 폰에 틈틈이 메모한다. 그런데 폰에 바로 메모 못 하면 생각난 드립을 까먹을 때가 있다. 다시 떠올리려고 해도 안 떠오른다. 어쩔 수 없다. 날아가버린 드립을 안타까워하면서 다음 드립을 기다린다. 그러다가 특정 단어를 보고 까먹었던 드립이 생각날 때가 있다. 신기한 경험이다.

드립이 스치는 순간

난 항상 드립에 목말랐다. 새로운 드립이 없나 주위를 두리번거렸다. 그러다가 눈에 어떤 단어가 들어오면 이걸로 어떤 드립을 칠 수 있을지 생각한다. 그런데 아무리 생각해도 드립이랑 연결이 안 되는 단어가 있다. 그럴 땐 억지로 끼워 맞추기보다는 깔끔하게 포기하는 게 좋다. 단어를 들었을 때 바로 느낌이 오는 경우도 있다. 단어와 딱 들어맞는 드립이 떠오르면 짜릿하다.

드립은 보편적이어야 한다

드립 칠 때 단어 선택은 보편성을 고려해서 해야 한다. 사람들에게 익숙하고 먹힐 만한 단어로 드립을 쳐야 한다는 말이다. 자기만 아는 전문 용어나 어려운 단어로 드립을 치면 사람들이 알아듣지도 못할 뿐더러 잘난 척처럼 보일 수 있다.

앞으로

앞으로 칠 드립이 있다는 건 설레는 일이다. 또 기대가 된다.

어떤 재밌는 드립들이 내 머릿속을 스쳐갈지.

다음 드립

영화감독이 다음 영화를 생각하고, 래퍼가 다음 앨범을 생각하듯, 나는 다음에 칠 드립을 늘 생각한다. 직업병이다. 그러다가 뭐 하나 눈에 걸리면 놓치지 않는다. 봐주는 거 없다. 바로 낚아챈다. 나의 드립 레이더는 항상 돌아가고 있다.

기록하기

드립도 기록이다. 당시의 드립에는 내가 처해있던 상황이 반영될 수밖에 없다. 그때 보고 들은 것들을 재료로 드립을 치기 때문이다. 그 예로 나는 해군 갑판병으로 복무할 때 이런 드립을 쳤다. '나는 병에 걸렸다. 갑판병.'

조각만 던지기

처음에 조각만 던지고 그 다음 전체를 던지는 방법은 드립의 효과를 더 크게 불러일으킬 수 있다.

예시)

나 선 보러 간다.

거북선.

여기 전선이 꽂혀 있네.

장마 전선.

세월이 쌓이면

사람은 한 번에 많은 생각을 할 수 없다. 드립도 마찬가지다. 한 번에 많은 드립을 떠올리기는 힘들다. 그래서 많은 드립들을 건지기 위해서는 시간이 필요하다. 주변을 둘러보거나 사람들을 만나면서 어떤 소재가 드립을 떠올리게 할지 계속 예의주시하는 거다. 그런 시간과 세월이 쌓이면서 드립도 같이 쌓이게 된다.

하찮은 것들

하찮은 것들이 모이면 대단한 것이 된다. 유튜브에 계속 하찮은 드립 영상들을 올렸다. 그렇게 일주일에 하나씩 올렸던 영상이 지금은 440개가 넘었다. 사실은 하찮은 것들이 아니고 하나하나가 귀중한 드립들이다.

참을 수가 있어야지

한 친구가 내 드립에 대해 이렇게 말했다. "하루에 하나씩 치면 괜찮은데 1분에 하나씩 치니까 참을 수가 있어야죠."

원 드립 멀티 유즈

원 드립 멀티 유즈One Drip, Multi Use는 하나의 드립을 영상, 글, 이미지 등 여러 경로로 써먹는 것이다. 드립 재탕이랑은 다른 의미다.

부딪힐 때

드립은 내가 어디선가, 무언가와 부딪힐 때, 어떤 단어를 보거나 들었을 때, 일상 속에서 사람들과 있을 때 많이 나온다. 그래서 집에 혼자 있을 때는 드립이 잘 안 떠오른다.

드립이 밥 먹여주냐?

아직까지 밥은 안 먹여주더라.

청신호

한 여자애가 관심 있는 남자에 대해 말하는 걸 듣고 남자들은 청신호 아니냐고 했다. 그러자 그 친구가 이렇게 말했다. "이게 무슨 청신호에요? 한숨 쉬노지." 좀 웃기네.

화가 난다

한 친구가 내 인스타 스토리에 드립 올라온 거 볼 때마다 화가 난다고 했다. 시험기간이라 안 그래도 힘든데 내 드립 보면 더 화가 난단다. 저번에는 드립을 혼자 볼 수 없어서 다른 사람한테 보여줬다고 했다.

인정

교회 형 차 타고 집 가다가 내가 드립을 치자 형이 이렇게 말했다. "영진아, 니가 드립 치면 10번 중에 한 번은 웃긴 거 인정해. 근데 그 나머지 9번을 듣고 있는 게 너무 고통스럽다." 뼈를 제대로 맞았다.

구독자 수

교회에서 점심 먹는데 초등부 애가 나한테 유튜브 구독자 수를 물었다. 내가 300명이라고 하자 세림이가 "ㅎㅎ 귀엽네." 라고 했다. 이 자식이 ㅋㅋㅋ 니가 구독자 300명 만들어봐라. 참고로 지금은 구독자가 400명 넘는다.

노잼

CCC 목요채플 끝나고 나가는데 다른 캠퍼스 친구가 내 헤드락을 걸면서 아는 척을 했다. "야, 요새 니 드립 개노잼이던데?" 내가 받아쳤다. "아닌데? 개꿀잼인데?" 내 드립이 꿀잼인 건 사실이다. 이 분야에서 살아남으려면 자기 드립에 대한 자신감이 있어야 한다.

재능 없으면

내 드립 영상에 "재능 없으면 다른 일이나 찾아보라."는 댓글이 달렸다. 이런 댓글이 달렸다고 애들한테 말하니까 한 친구가 이렇게 말했다. "순장님한테 드립 치는 재능이 없는 것 같지는 않아요. 계속 드립 생각해내는 거 보면." 나도 나한테 재능이 없다고 생각하지 않는다. 오히려 드립이 너무 많이 생각나서 문제인 거지. 교만은 아닌데 나는 다른 사람보다 드립을 생각해내는 속도가 빠른 것 같다.

하루라도

내가 인스타그램 스토리에 드립 올린 거 보고 한 친구가 이렇게 말했다. "순장님은 하루라도 드립 안 치면 안 되는 병에 걸렸어요?" 병이라기보단 본능에 가깝다. 나는 그 본능에 따라 사는 거고.

드립 퀴즈

청년부에서 갑작스럽게 레크레이션 진행을 하게 됐다. 그래서 뭘 할까 고민하다가 한 번 해보고 싶었던 드립 퀴즈가 떠올랐다. 내가 이때까지 쳤던 드립을 다 모은 다음 퀴즈로 낼 만한 것들을 골라냈다. 내가 드립을 친 건 2013년부터지만 드립을 본격적으로 기록하기 시작한 건 2018년부터다. 드립 퀴즈는 내가 5년 동안 모아온 드립들이 결실을 맺은 거다. 드립 퀴즈를 진행하는 시간만큼은 내가 합법적으로 사람들에게 드립을 칠 수 있는 시간이다. 나는 재밌었는데 청년부 사람들은 원성이 자자했다. 그래도 끝나고 나한테 재밌었다고 해주는 사람들이 있어서 다행이었다.

나가는 말

나는 항상 내 드립을 들어주는 사람들에게 고마움과 미안함을 동시에 느낀다. 하지만 드립 치는 걸 멈추진 않을 것이다. 다시 한 번 미안하다. 다들 내가 드립으로 이어갈 행보를 응원해주길 바란다. 그럼 이만.